Igualdade Democrática, Desigualdade Econômica **e a Carta da Terra**

STEVEN C. ROCKEFELLER

Igualdade Democrática, Desigualdade Econômica e a Carta da Terra

Prefácio de Leonardo Boff

Tradução
Denise de Carvalho Rocha

Editora
Cultrix
SÃO PAULO

Título original: *Democratic Equality, Economic Inequality and the Earth Charter*

Texto de acordo com as novas regras ortográficas da língua portuguesa.

1ª edição 2016.

Facilitador do Projeto: Mirian Vilela
Edição do Prefácio: Douglas F. Williamsom

Editor: Adilson Silva Ramachandra
Editora de texto: Denise de Carvalho Rocha
Gerente editorial: Roseli de S. Ferraz
Produção editorial: Indiara Faria Kayo
Assistente de produção editorial: Brenda Narciso
Editoração eletrônica: Join Bureau
Revisão: Vivian Miwa Matsushita

Dados Internacionais de Catalogação na Publicação (CIP)
(Câmara Brasileira do Livro, SP, Brasil)

Rockefeller, Steven C.
Igualdade democrática, desigualdade econômica e a Carta da Terra / Steven C. Rockefeller; tradução Denise de Carvalho Rocha. – São Paulo: Cultrix, 2016.

Título original: Democratic equality, economic inequality and the earth charter.
Bibliografia.
ISBN 978-85-316-1350-0

1. Carta da Terra 2. Democracia 3. Desenvolvimento sustentável 4. Desigualdade social 5. Economia 6. Ensaios I. Título.

16-01178 CDD-304.2

Índices para catálogo sistemático:
1. Igualdade democrática, desigualdade econômica e a Carta da Terra: Sustentabilidade ambiental: Ecologia: Sociologia 304.2

Direitos de tradução somente para a língua portuguesa adquiridos com exclusividade pela EDITORA PENSAMENTO-CULTRIX LTDA., que se reserva a propriedade literária desta tradução.
Rua Dr. Mário Vicente, 368 — 04270-000 — São Paulo, SP
Fone: (11) 2066-9000 — Fax: (11) 2066-9008
http://www.editoracultrix.com.br
E-mail: atendimento@editoracultrix.com.br
Foi feito o depósito legal.

Sumário

Prefácio

Este ensaio é imbuído do espírito criado pela Carta da Terra, o espírito do cuidado, do respeito por tudo o que existe e vive, da reverência pela Terra, do reencantamento pela natureza e da responsabilidade coletiva pelo destino da biosfera e da espécie humana.

Seu autor, Steven Rockefeller, juntamente com outras eminentes personalidades, foi um dos principais inspiradores da Carta da Terra, que está entre os documentos internacionais mais importantes do início do século 21. A Carta elabora valores e princípios indispensáveis para orientar as sociedades humanas a habitar, de forma benigna e sustentável, a nossa Casa Comum, o planeta Terra, e assim garantirmos o nosso futuro.

Neste ensaio, o professor Rockefeller aborda dois temas extremamente atuais e importantes da Carta da Terra: a igualdade democrática e a desigualdade econômica. Ele oferece um relato histórico muito detalhado dessas duas realidades.

Primeiramente, ele esclarece o significado do ideal de *igualdade democrática*, que com razão ele afirma "estar entre os ideais mais radicais e poderosos de toda a história moderna". O ideal de igualdade possui longa ancestralidade, especialmente em tradições religiosas e espirituais. Encontra-se na base de todos os projetos humanitários e políticos de hoje e é visto como uma aspiração de toda a humanidade.

Posteriormente, ele enfoca a *desigualdade econômica*, refletindo sobre os muitos esforços praticados nos séculos 19 e 20 para compreender o problema e encontrar maneiras de abordar a desigualdade e a injustiça econômica. Como ele afirma com exatidão, "o ideal de uma sociedade de cidadãos livres e iguais foi prejudicado. A sociedade encontrava-se amargamente dividida entre ricos e pobres, capital e trabalho, mais lucros e salários".

O professor Rockefeller mostra que vários expedientes usados para minimizar os efeitos maléficos da desigualdade nos Estados Unidos e na Europa, incluindo a criação do Estado de bem-estar social, a alta tributação dos lucros corporativos, a formação de fundações e a filantropia social, têm sido insuficientes. Como mostrou o economista Karl Polanyi em seu famoso livro *A Grande Transformação* (1944), nesse processo produtivista se passou de uma *economia de mercado* para uma *sociedade de mercado*. Quer dizer: tudo pode virar mercadoria, até as coisas mais vitais, como água, alimentos, solo etc. Em nossa sociedade de mercado, a crescente voracidade para acumular de forma ilimitada agravou ainda mais as desigualdades econômicas em um nível global.

Este ensaio também descreve algumas das conclusões de *Society of Equals* (2011), de Pierre Rosanvallon; e de *Capital in the Twenty-First Century* (2014), de Thomas Piketty. Muitos de nós concordariam que onde existem relações industrialistas/capitalistas aparentemente ocorrem dois tipos de injustiça: uma *injustiça social,* que gera o aumento da pobreza para alguns e imensa riqueza para outros, e uma *injustiça ecológica,* que devasta os bens e serviços propiciados por sistemas naturais e ameaça as bases necessárias para sustentar a vida.

Como escrevi há muitos anos, a teologia da libertação e os discursos ecológicos têm algo em comum. Por um lado, a pobreza esgarça o tecido social de milhões de pessoas pobres em todo o mundo, enquanto, por outro lado, o desrespeito pela Terra, nosso lar, e a falta de respeito pela natureza rompem o equilíbrio do planeta, que está sob ameaça devido ao desenvolvimento predatório e insustentável praticado pela maioria das sociedades contemporâneas. (Menciono isso em meu livro *Ecologia: Grito da Terra, Grito dos Pobres.*) Essa ideia se encaixa muito bem com a análise do autor de desigualdade.

Este ensaio leva o leitor a concluir que, devido aos seus efeitos nocivos, a desigualdade econômica é antiética. Essa desigualdade representa o desafio político de encontrar formas mais benevolentes de atender às necessidades humanas.

O núcleo central deste ensaio, que brilha pela objetividade e pelo equilíbrio das análises, é confrontar os dois desafios: como garantir a igualdade democrática e como superar a desigualdade econômica. Ambos os temas são abordados dentro da visão proposta pela Carta da Terra, que serve para ecologizar todos os problemas e todos os saberes. Nas palavras da Carta: "Nossos desafios ambientais, econômicos, políticos, sociais e espirituais estão interligados, e juntos podemos forjar soluções includentes" (Preâmbulo).

Para cada tema importante, o professor Rockefeller faz referência ao texto da Carta da Terra, mostrando como ela é inspiradora de novos ideais e de novas práticas. A Carta ressalta, por exemplo, a importância de se "construir sociedades democráticas que sejam justas, participativas, sustentáveis e pacíficas" (I,3). Outra seção sublinha o imperativo ecológico de "adotar padrões de produção, consumo e reprodução que protejam as capacidades regenerativas da Terra, os direitos humanos e o bem-estar comunitário" (I,7).

Quando o professor Rockefeller se refere à justiça social e econômica, ele enfatiza o princípio da Carta da Terra: "Erradicar a pobreza como um imperativo ético, social e ambiental" (III,9). Essa frase nos faz lembrar aquela outra de Gandhi: "a fome é um insulto porque ela avilta, desumaniza e destrói o corpo e o espírito; é a forma mais assassina que existe".

Refletindo sobre o princípio "Promover uma cultura da tolerância, da não violência e da paz" (IV,16), o professor Rockefeller faz um brilhante comentário sobre a definição de paz da Carta da Terra, que eu considero uma das mais pertinentes e verdadeiras: "A paz é a plenitude criada por relações corretas consigo mesmo, com outras pessoas, outras culturas, outras vidas, a Terra e o Todo do qual somos parte" (IV,16.f).

Subjacente às lutas e sucessos associados com os esforços para alcançar a igualdade democrática e eliminar a desigualdade econômica descrita no ensaio, surge um retrato de um anseio humano muito mais profundo por significado. Esse significado, como o professor Rockefeller postula, é encontrado através de uma espiritualidade relacional e nela própria. Ela não é monopólio das religiões. Pelo contrário, espiritualidade que reside nas profundezas de cada ser humano; que orienta a nossa consciência e nela estão as chaves para um mundo melhor baseado na ética e no amor. Essa espiritualidade relacional é hoje urgentemente necessária para nos ajudar a fazer frente à nova era geológica introduzida por práticas humanas – o *Antropoceno* –, cuja energia destrutiva ameaça o equilíbrio da Terra e o fundamento físico-químico-ecológico que garante a vida no planeta.

O professor Rockefeller assevera com propriedade que cada grande civilização produz a sua "forma própria de consciência espiritual e ética". Estamos agora na fase globalizada do experimento humano, e nossa civilização também está gerando sua própria consciência ética e a espiritualidade. Por todas as partes, surge uma nova reverência diante da vida, em conjunto com uma nova compreensão de que residimos em uma Terra viva, que proporciona tudo de que precisamos para sobreviver.

O ensaio de Steven Rockefeller suscita a esperança de que ainda teremos futuro, garantido por uma ética centrada na Terra e na comunidade da vida, e enraizada em uma espiritualidade que nos faz sentir que somos parte de um Todo maior, que sustenta o universo e cada um de nós.

Leonardo Boff
Teólogo e membro da Comissão da Carta da Terra
Petrópolis, Rio de Janeiro, 24 de maio de 2015.

Agradecimentos

Em vários estágios do desenvolvimento deste ensaio, ele foi compartilhado com diversos colegas cujas observações e recomendações foram muito úteis. A esse respeito, eu estendo meus sinceros apreço e agradecimento a Brendan Mackey, Nicholas Robinson, Mary Evelyn Tucker, Richard Zimmerman e Mirian Vilela. Estendo a minha gratidão a Josephine Reyes e Kathleen Sullivan, por sua assistência com a correspondência e a digitação de inúmeros rascunhos do manuscrito. Agradeço também a Mirian Vilela e à Secretaria da Carta da Terra Internacional, por supervisionar e organizar a publicação deste ensaio.

Este ensaio foi elaborado como uma contribuição para a Carta da Terra+15, celebrada em Amsterdã, em junho de 2015. Ele foi publicado originalmente pela Carta da Terra Internacional, mas não é um relatório oficial ou declaração do Conselho ou da Secretaria da Carta da Terra Internacional. As interpretações da Carta da Terra neste ensaio são inteiramente minhas.

Igualdade Democrática, Desigualdade Econômica **e a Carta da Terra**

1. Introdução

No processo de desenvolvimento e sustentação de uma sociedade democrática, o ideal de igualdade e o ideal estreitamente relacionado de liberdade são princípios norteadores fundamentais. Um ambiente econômico favorável à livre-iniciativa e à inovação é de vital importância, mas, em última análise, o sistema econômico de uma nação democrática deve ser julgado pelo seu sucesso em propiciar igualdade de oportunidades e um padrão de vida decente para todos os cidadãos. No entanto, à medida que o mundo se aproxima da terceira década do século 21, muitas nações desenvolvidas e em desenvolvimento não estão cumprindo esses critérios para uma ordem econômica justa e equitativa. O que foi afirmado no Preâmbulo da Carta da Terra, em 2000, continua a ser uma descrição precisa de um grande desafio para as nações individuais e a comunidade internacional: "os benefícios do desenvolvimento não estão sendo divididos equitativamente e o fosso entre ricos e pobres está aumentando". O aumento da desigualdade econômica está mais uma vez se tornando um problema social, econômico e político agudo e minando a confiança em governos democráticos e no capitalismo.

Em um esforço para elucidar as ideias, valores e desafios em análise, este ensaio esmiúça a origem e o significado do princípio da igualdade, considera as implicações econômicas do ideal e apresenta um breve panorama histórico da democracia liberal e da desigualdade econômica desde as Revoluções Francesa e Americana. Este ensaio em seguida destaca os princípios da Carta da Terra, projetados para instaurar o debate cada vez mais intenso sobre essas questões cruciais e para nortear a mudança. A Carta da Terra, no entanto, vê a questão da desigualdade econômica no contexto do surgimento de uma civilização planetária e em relação a um problema ainda mais fundamental que os governos e as economias de mercado enfrentam: a generalizada e acelerada degradação dos sistemas de suporte à vida no planeta.

A Carta da Terra reconhece que o nosso planeta faz parte de um universo em evolução, que a biosfera da Terra é um sistema ecológico interligado do qual as pessoas são uma parte, e que, sob o impacto da tecnologia moderna e da globalização econômica, todos os povos estão vivendo em um mundo cada vez mais interdependente. Os desafios que a humanidade enfrenta, portanto, exigem uma nova consciência global e espírito de cooperação em nível mundial, bem como uma ação local transformadora. A Carta da Terra tanto promove o respeito pela diversidade cultural quanto faz um apelo por valores éticos universais que apoiem a criação de uma comunidade global justa, ecologicamente sustentável e pacífica. A ampla visão da Carta da Terra levará este ensaio a analisar as interconexões entre soluções de longo prazo para a desigualdade econômica e a necessidade urgente de uma transição mundial para o desenvolvimento sustentável. Este ensaio conclui com reflexões sobre a igualdade e a sustentabilidade como dois ideais de transformação que se tornaram inter-relacionados e são as principais chaves para um futuro promissor.

Desde que a Carta da Terra foi lançada, um progresso significativo ocorreu na redução da pobreza em massa. Centenas de milhões de pessoas foram retiradas da pobreza extrema na China, na Índia e em outras nações em desenvolvimento. O primeiro Objetivo de Desenvolvimento do Milênio das Nações Unidas, que envolve a meta de reduzir pela metade a percentagem mundial de pessoas que viviam em 1990 com 1,25 dólar americano por dia, foi ultrapassado.[1] No entanto, nas últimas décadas, uma nova tendência surgiu em muitos países, tanto do Norte quanto do Sul, envolvendo uma crescente concentração de riqueza entre o 1 por cento e o 10 por cento mais ricos da população, juntamente com a crescente desigualdade de renda. Esse problema é especialmente agudo nos países mais ricos, como os Estados Unidos e o Reino Unido, mas também é um problema crescente em países emergentes como Brasil, China e Indonésia. Um aumento descontrolado na desigualdade econômica enfraquece os laços de confiança que mantêm as sociedades coesas e é uma fonte de inquietação social. Há também evidências de que altos níveis de desigualdade têm um impacto prejudicial sobre a economia, reduzindo a demanda do consumidor, desacelerando o progresso na educação e criando instabilidade em geral.[2]

A situação econômica piorou com a crise financeira global que irrompeu em 2008, devastando economias e deixando milhões de pessoas sem trabalho. Na Europa e na América do Norte, o impacto tem sido particularmente severo e muitas famílias estão passando por um declínio em seus padrões de vida. Existe hoje uma crise de desemprego global, especialmente entre os jovens. A desigualdade de gênero continua a ser uma importante fonte de desigualdade de renda. A desigualdade econômica dentro das nações e o abismo substancial entre os países mais ricos e os mais pobres são problemas fundamentais que a comunidade internacional deve enfrentar, se quisermos ter alguma esperança de construir uma ordem social e econômica global no século 21 que seja justa, inclusiva e sustentável.

Contanto que haja oportunidades para todos e mobilidade ascendente em uma sociedade democrática, a maioria dos cidadãos não encontrará nenhuma razão para se opor ao fato de alguém alcançar, graças a uma liderança inovadora e trabalho árduo, um sucesso financeiro excepcional, especialmente se muitos outros compartilharem desse sucesso e a empresa contribuir para o bem-estar da sociedade. No entanto, se a riqueza ficar cada vez mais concentrada nas mãos de uma elite e oportunidades e mobilidade forem negadas ao grosso da população, as pessoas mais sensatas só poderão concluir que as políticas e os regulamentos que regem o sistema são injustos. Sob tais circunstâncias, a desconfiança e os protestos se alastram, levando a reivindicações por reformas tanto no sistema político e econômico quanto na redistribuição da riqueza. São problemas e preocupações dessa natureza, bem como a persistência da pobreza em massa em partes do mundo, especialmente em regiões impactadas por alterações climáticas, que fomentam o debate contemporâneo sobre a desigualdade econômica.

No que diz respeito à história da distribuição da riqueza e da desigualdade econômica desde as Revoluções Americana e Francesa, dois estudos recentes são particularmente esclarecedores: *The Society of Equals* [no original francês, *La Société des Égaux*] (2013), de Pierre Rosanvallon; e *Capital in the Twenty-First Century* (2014), de Thomas Piketty.[3] Os dois autores em geral concordam com relação aos principais elementos da história que este ensaio tentará delinear. O livro de Piketty tem atraído muita atenção, pois mostra o caminho que levou à pesquisa revolucionária que ele e seus colegas, incluindo Anthony Atkinson e Emmanuel Saez, fizeram ao reunir uma grande quantidade de novos dados estatísticos sobre a desigualdade econômica desde o século 18, com um foco primário na Europa e na América do Norte. Piketty reconhece que "a pesquisa na área das ciências sociais é e sempre será balbuciante e imperfeita", e adverte que suas descobertas devem ser vistas como aproximações que permitem que se descreva a natureza geral de situações e tendências.[4]

No final de *Capital in the Twenty-First Century*, Piketty reconhece que a "deterioração do capital natural da humanidade ao longo do século XXI (...) é obviamente a principal inquietude no longo prazo".[5] No entanto, nem Piketty nem Rosanvallon analisam a inter-relação entre soluções de longo prazo para a desigualdade econômica e a necessidade de uma transição para a sustentabilidade. Por isso este ensaio se volta para a Carta da Terra e muitas outras fontes.

2. O Conceito Democrático Moderno de Igualdade

O conceito moderno de igualdade social e política surgiu na Europa e nos Estados Unidos durante os séculos 17 e 18, e levou às Revoluções Americana e Francesa. Nesse contexto, é importante ressaltar que o ideal democrático de igualdade é antes de tudo um ideal ético envolvendo atitudes e valores fundamentais que moldam a maneira como as pessoas se relacionam e trabalham juntas na vida cotidiana. Os ideais morais de igualdade universal e liberdade individual estão no cerne daquilo que os filósofos e poetas chamaram de espírito democrático e modo de vida democrático. É esse espírito e esse modo de vida que inspiram e respaldam a criação de instituições democráticas.

Na medida em que o princípio da igualdade universal é um ideal ético, as sementes do conceito foram plantadas, entre dois e três mil anos atrás, com o despertar da consciência moral associada ao surgimento de grandes tradições religiosas e espirituais do mundo. Os maiores ensinamentos éticos dessas tradições destacavam o imperativo de sempre fazer o que é bom, certo e justo, e evitar o mal. Além disso, tanto no Oriente quanto no Ocidente a Regra de Ouro se tornou uma orientação moral geral amplamente aceita sobre o que é bom e justo, e isso implica no imperativo de que haja uma certa igualdade de consideração nas relações entre as pessoas.[6] O ensinamento de Jesus no Sermão da Montanha é um excelente exemplo: "Portanto, tudo quanto quereis que as pessoas vos façam, assim fazei-o vós também a elas, pois esta é a Lei e os Profetas" (Mateus 07:12). No entanto, nas grandes civilizações antigas e clássicas, em sua maior parte a Regra de Ouro não era compreendida como uma lei que se aplicasse a pessoas de outras tribos, religiões, raças e nações. Em geral, ela não era utilizada para questionar as estruturas políticas hierárquicas, as estruturas rígidas de classe e de casta, a opressão das mulheres ou a instituição da escravidão.

Na Atenas clássica, Platão e Aristóteles iniciaram a análise filosófica dos pontos fortes e fracos da monarquia, da aristocracia e da democracia como formas de governo, mas não defenderam a democracia participativa nem o princípio da igualdade social. Durante os séculos 5 e 4 a.C., porém, a cidade-estado grega de Atenas de fato conduziu um extenso experimento sobre a igualdade democrática e o autogoverno cidadão que incluía os membros do sexo masculino livres da sociedade. A democracia ateniense não perdurou, mas ela se tornaria uma grande fonte de inspiração para filósofos e líderes políticos ao longo dos dois mil anos seguintes. Os filósofos estoicos do Império Romano promoviam a ideia da igualdade natural de todos os seres humanos como seres racionais e morais e apoiavam os valores éticos universais. A filosofia estoica, no entanto, estava mais preocupada em ajudar o indivíduo a alcançar a sabedoria, a viver bem e a encontrar paz de espírito em um mundo turbulento, do que em promover a transformação política.

Seria preciso séculos de evolução socioeconômica, política, intelectual, moral e religiosa para que o caminho se abrisse para o surgimento do conceito de igualdade universal como ideal social e político transformador. Foi no contexto do Iluminismo europeu, com base nas forças de mudança desencadeadas pelo Renascimento italiano, pela Reforma Protestante e pela revolução científica cartesiana-newtoniana que isso finalmente aconteceu. Na medida em que a religião era uma influência, isso foi resultado de uma nova compreensão da tradição profética da Bíblia hebraica e de uma reinterpretação radical do significado do igualitarismo encontrado em certos ensinamentos espirituais e morais cristãos, incluindo a noção de que Deus valoriza e ama a todos igualmente, desde o mais humilde pastor até o mais nobre rei.[7] O filósofo alemão iluminista Immanuel Kant (1724-1804) deu expressão à consciência moral e política emergente com sua reconstrução do princípio moral supremo, que ele intitulou o Imperativo Categórico. Todas as pessoas humanas têm autoridade moral igual como fins em si mesmas, argumentou ele, e devem sempre ser tratadas como um fim e nunca apenas como um meio. Durante as Revoluções Americana e Francesa, essa noção de que todas as pessoas são fins e não simples meios para a exploração de terceiros adquiriu um novo e radical significado.

Foi a visão e o espírito de igualdade e liberdade que inspiraram as Revoluções Americana e Francesa do século 18. Com relação à igualdade, Gordon Wood, uma das maiores autoridades em Revolução Americana, escreve: "A igualdade sempre foi a ideia mais radical e poderosa da história americana".[8] Pode-se acrescentar que a igualdade está entre as ideias mais radicais e poderosas de toda a história do mundo moderno. As esperanças e visões trazidas à tona nas Revoluções Americana e Francesa continuam a inspirar o desenvolvimento de novas democracias na África, Ásia, Europa Central e Oriental, e América Latina. A visão de uma sociedade justa de iguais e a profunda preocupação com os extremos da desigualdade econômica nas economias de mercado foi o que atraiu tantos intelectuais e povos oprimidos para as diversas formas de socialismo nos séculos 19 e 20.

Quais foram as ideias, atitudes e valores básicos associados ao ideal de igualdade no século 18 que levaram à transformação democrática da sociedade? À medida que o ideal de igualdade for descrito a seguir, é importante ter em mente que ao longo da história da democracia moderna sempre houve tensões e contradições políticas, econômicas e sociais entre o ideal e o real, a teoria e a prática da igualdade. Desde o início, os grupos dominantes da sociedade – homens brancos e proprietários de terras, por exemplo, tentaram restringir o significado do ideal de uma forma ou de outra. O drama da democracia é, em grande medida, um debate sem fim e uma batalha sobre o que significa a igualdade universal como ideal e como ela pode e deve ser implementada. O ideal da igualdade é a promessa não cumprida da democracia como modo de vida e forma de autogoverno, uma visão de liberdade, justiça e equidade que sempre põe em julgamento o que foi alcançado pela sociedade.

Entre aqueles que lutavam a favor das Revoluções Americana e Francesa, o princípio da igualdade era visto como a chave para reconstruir as relações humanas que formam a sociedade. A visão de uma sociedade de iguais envolvia a rejeição da monarquia hereditária e da estrutura hierárquica da sociedade aristocrática. Isso significava repúdio à noção que respaldava a sociedade aristocrática, segundo a qual alguns indivíduos, a nobreza, formam uma espécie inerentemente superior da humanidade e têm direito a privilégios especiais, enquanto a massa da humanidade deve ser vista como inerentemente inferior e permanecer subordinada e subjugada.[9] No cerne da ideia de igualdade, está a crença de que todos os seres humanos têm uma natureza comum e uma dignidade inerente e igual. Todos são iguais nesse sentido fundamental. Esse é o significado básico da afirmação da Declaração da Independência Americana (1776) segundo a qual "todos os homens são criados iguais". O relacionamento correto começa com o respeito mútuo. A Declaração Universal dos Direitos Humanos das Nações Unidas (1948) identifica os elementos da natureza comum da humanidade com razão e consciência.

Além disso, uma vez que todos são criados iguais e compartilham uma natureza comum, todos nascem com o direito à liberdade.[10] A sociedade dos iguais é uma sociedade composta de indivíduos livres e independentes, em que ninguém deve ser tratado como um mero meio ou ser subjugados à vontade do outro. O historiador e filósofo político francês

Pierre Rosanvallon, escreve: "o termo 'igualdade' foi originalmente identificado com os ideais de emancipação e autonomia e, portanto, com a criação de uma sociedade de indivíduos orgulhosos, vivendo como iguais e não separados por diferenças aviltantes".[11] A esse respeito, John Dewey, o líder intelectual do movimento progressista nos Estados Unidos durante a primeira metade do século 20, explica que "a fé democrática na igualdade" envolve a crença de que toda pessoa tem "direito a oportunidades iguais" para o cultivo de quaisquer que sejam as habilidades e dons que ela possa ter, e a crença de que toda pessoa tem "a capacidade de conduzir a própria vida livre da coerção e imposição dos outros, desde que se ofereçam as condições adequadas".[12] Igualdade social significa liberdade para travar com outras pessoas relações recíprocas que reflitam independência mútua. Nesse sentido, a participação em uma economia de livre mercado tornou-se, para muitas pessoas, uma importante expressão do espírito de igualdade, nos primeiros anos da república americana.[13] Os princípios democráticos de igualdade e liberdade estão intimamente associados ao conceito liberal do individualismo e a uma crescente mudança de foco do outro mundo para este, inspirada pela confiança na nova ciência como ferramenta para dominar a natureza e uma crença relacionada na possibilidade do progresso social e econômico para todos.

Além do direito à liberdade, igualdade significava também respeito por todos os direitos fundamentais do indivíduo, como está definido na Declaração da Independência Americana (1776), na Declaração dos Direitos dos Estados Unidos (1791) e na Declaração Francesa dos Direitos do Homem e do

Cidadão (1789). As pessoas não são iguais nem em força física, nem em talentos nem em uma série de outras maneiras, mas o ideal de igualdade reconhece que elas são iguais em dignidade e em seus direitos fundamentais como pessoas livres. A Declaração Universal dos Direitos Humanos das Nações Unidas afirma esse princípio ético fundamental de forma sucinta: "Todos os seres humanos nascem livres e iguais em dignidade e em direitos" (Artigo 1º). Como se observa, a liberdade e a igualdade estão intimamente interligadas. Não existe igualdade sem liberdade para todos. Além disso, o pleno exercício da liberdade e a "busca da felicidade" (Declaração de Independência dos Estados Unidos) requerem a proteção dos direitos fundamentais da pessoa humana. A Declaração de Independência dos Estados Unidos afirma que "a fim de assegurar esses direitos, governos são instituídos entre os homens". Uma sociedade democrática de iguais era concebida como uma sociedade de pessoas independentes, permeada pelo respeito mútuo que honra os direitos humanos universais e a igualdade diante da lei. Uma das funções da lei internacional dos direitos humanos é fornecer diretrizes e normas que assegurem a existência de condições sociais, econômicas e políticas essenciais para promover a igualdade de oportunidades. Na medida em que há uma tensão entre igualdade e liberdade, a lei dos direitos humanos contribui para prevenir a exploração dos mais fracos pelos poderosos. Ela oferece uma boa interpretação das implicações da Regra de Ouro e do Imperativo Categórico para as relações sociais e políticas públicas em nosso mundo moderno interdependente e culturalmente diversificado.

No campo político em que a democracia representativa foi estabelecida, a igualdade significava ser reconhecido como cidadão, membro da comunidade com direitos iguais e uma partilha equitativa de soberania política.[14] O conceito de "um homem, um voto" é uma ideia radical que envolve uma nova fé democrática na inteligência do "homem comum". Pierre Rosanvallon resume essa fé democrática como a seguir: "Do erudito mais culto ao espírito mais simples, do homem mais rico ao mais pobre dos pobres, todos são considerados igualmente capazes de pensar sobre o bem comum e traçar a linha divisória entre o justo e o injusto".[15] John Dewey escreve:

> A democracia é um modo de vida pessoal conduzido não apenas (...) pela fé na capacidade dos seres humanos para o julgamento e ação inteligentes, caso condições apropriadas sejam dadas (...) Pois o que é a fé na democracia no papel de consulta, de conferência, de persuasão, de discussão, na formação da opinião pública, a qual a longo prazo é autocorretiva, senão fé na capacidade da inteligência do homem comum de responder com bom senso ao livre curso dos fatos e ideias que são asseguradas por garantias efetivas de livre investigação, livre reunião e livre comunicação?[16]

As Revoluções Americana e Francesa despertaram a aspiração pelo sufrágio universal, a soberania política inclusiva, mas a percepção e a proteção desse ideal envolveram uma longa e difícil batalha, muitas vezes sangrenta e contínua. Demorou, por exemplo, até 1922 – quase 150 anos – para os Estados Unidos concederem o voto às mulheres e quase 200 anos para sancionar em lei federal os direitos civis e políticos dos afro-americanos.

Os esforços para fazer avançar o ideal de igualdade estão focados no combate a alguma desigualdade percebida nos arranjos sociais, econômicos ou políticos considerados injustos. Uma forma inaceitável de desigualdade envolve uma diferença injustificada na maneira como um indivíduo ou grupo é tratado em comparação com os outros. No mundo contemporâneo, a forma mais comum da desigualdade implica algum tipo de discriminação em relação a gênero, raça, origem étnica, classe, religião, orientação sexual etc. Protestos contra desigualdades muitas vezes envolvem reivindicações relativas a violações da dignidade inerente da pessoa como ser humano e de suas liberdades fundamentais e direitos humanos, civis, políticos, sociais ou econômicos. No século 20, em suas medidas para combater a desigualdade econômica e redistribuir a riqueza de forma equitativa, o Estado social moderno adotou uma abordagem baseada nos direitos humanos. As iniciativas visando à redistribuição das riquezas são norteadas por uma visão ampliada dos direitos sociais que envolvem o princípio segundo o qual todos têm direito a igual acesso a determinados bens sociais básicos, como educação, saúde e segurança social.

O princípio da igualdade é amplamente associado com os princípios da igualdade de oportunidades e da consideração igualitária. No entanto, consideração igualitária não significa necessariamente que todos devem ser tratados de maneira igual. A consideração igualitária exige igualdade de tratamento até que razões imperiosas sejam apresentadas para tratar um indivíduo ou grupo particular de forma diferente. Muitas vezes, a consideração igualitária na verdade nos leva a tratar algumas pessoas de forma diferente. Por exemplo, a consideração igualitária de indivíduos com alguma deficiência física pode significar esquemas especiais. Uma ação afirmativa pode ser necessária ao se enfrentar os efeitos da discriminação racial do passado e em curso. Em caso de níveis acentuados de desigualdade econômica em que se julgou haver grave injustiça, a consideração igualitária pode significar a redistribuição de renda por meio de políticas fiscais progressistas e vários programas do governo. Em todos esses exemplos, ideias de justiça corretiva e compensatória estão em ação. Alguns críticos argumentam que iniciativas governamentais compensatórias passam dos limites quando, além de igualdade de oportunidades, a meta passa a ser a igualdade de resultados.[17]

Em grande parte dos últimos 250 anos, aqueles que combateram diversas formas de desigualdade e discriminação enfatizaram a humanidade comum das pessoas e o que elas compartilham como seres humanos – o desejo de liberdade e felicidade e a necessidade de serem respeitadas e valorizadas. Quando se promove a igualdade, a tendência tem sido minimizar tudo o que torna os indivíduos diferentes e os distinguir com base no gênero, na raça e na origem étnica. Essa abordagem faz sentido, por exemplo, quando promove o sufrágio universal ou a remuneração igual por trabalhos iguais. Nas últimas décadas, porém, a crítica feminista da teoria da igualdade, uma nova valorização da diversidade cultural, a política da identidade, bem como a preocupação de muitos homens e mulheres das sociedades contemporâneas em ser reconhecidos e respeitados pelo que têm de diferente e específico levaram a reivindicações por mudanças na forma como a sociedade pensa a igualdade. O argumento é o de que o princípio da igualdade deve ser expandido para incluir o reconhecimento e a valorização da diferença como base para a identidade de uma pessoa e para uma compreensão do que a consideração igualitária pode significar em situações práticas.[18] A promoção de uma cultura comum que inclua a diversidade e seja multicultural é parte do que significa a igualdade no século 21. No entanto, uma ênfase na diferença torna-se problemática quando conduz ao etnocentrismo e ao separatismo, fazendo com que a fragmentação da sociedade como grupos perca o sentido unificador de uma identidade comum e cultura compartilhada.[19]

Nos períodos em que uma forma de desigualdade está em ascensão, outras formas de desigualdade podem estar em declínio. Nas últimas décadas, por exemplo, ocorreram progressos significativos em muitas nações na redução da desigualdade na saúde e na educação e na promoção da igualdade de gênero e nos direitos dos homossexuais, ao passo que a desigualdade econômica tem aumentado.[20] Além disso, as causas das diferentes formas de desigualdade podem variar nas diversas culturas e de nação para nação. A construção de uma sociedade de iguais é uma tarefa sem fim. A sustentação e a promoção da igualdade exigem a transmissão do espírito democrático de geração para geração, e um compromisso com a eterna vigilância.

3. Desigualdade Econômica

A pobreza e altos níveis de desigualdade econômica foram fatores importantes do anseio pela mudança revolucionária no século 18, especialmente na França. No entanto, a igualdade não era definida em termos aritméticos simples, como a igualdade de renda. A distribuição da riqueza era uma questão secundária. As principais preocupações eram a igualdade no sentido de liberdade e independência, e a qualidade das relações humanas. As desigualdades econômicas eram consideradas aceitáveis desde que não prejudicassem a liberdade individual, não impedissem a mobilidade social nem dividissem a sociedade. Desigualdades causadas por um talento e pelo esforço próprio e que de alguma forma beneficiassem a sociedade eram consideradas mais justificadas do que as derivadas de nascimento e herança. As leis que regiam as heranças foram radicalmente revistas na França e os americanos rejeitaram a lei da primogenitura. A Declaração dos Direitos do Homem e do Cidadão declara que "as distinções sociais só podem se fundar na utilidade comum", mas na época a principal preocupação a esse respeito era pôr fim à ordem aristocrática. Além disso, muitos pensadores democráticos do século 18 acreditavam que, com o fim dos privilégios da classe aristocrática, haveria uma tendência natural para haver maior igualdade econômica. A moderação e a sobriedade eram elogiadas; o luxo era condenado. A social-democracia nos Estados Unidos, a expressão do espírito democrático na vida cotidiana, que inclui o respeito mútuo, a ausência de condescendência e a civilidade, ajudou a minimizar as preocupações com relação às diferenças de riqueza.[21]

No entanto, a Revolução Industrial e o rápido desenvolvimento do capitalismo no século 19 colocaram em movimento poderosas forças econômicas com consequências de longo alcance que os defensores da liberdade e da igualdade do século 18 não poderiam ter previsto. Imensas desigualdades econômicas se sucederam e dividiram a sociedade na Europa e nos Estados Unidos. A propagação das manufaturas e do sistema fabril, juntamente com a livre concorrência, produziu em países como Inglaterra e França uma grande classe de trabalhadores sem propriedades, o proletariado industrial, que acabou por viver em condições miseráveis às margens da sociedade, sem controle de suas vidas. Ao mesmo tempo, enormes concentrações de riqueza surgiram na nova classe de capitalistas. O ideal de uma sociedade de cidadãos livres e iguais foi solapado. A sociedade viu-se amargamente dividida entre ricos e pobres, capital e trabalho, mais lucros e salários. O pensamento econômico liberal dominante, baseado no trabalho de Adam Smith (1723-1790) e David Ricardo (1772-1823), exaltava a livre concorrência como a chave para o avanço econômico da sociedade e argumentava que a economia devia ser regulada pela concorrência e pelo mercado, não pelo Estado. Além disso, a teoria econômica liberal clássica tentava explicar os baixos salários e a pobreza da classe trabalhadora como um resultado inevitável do sistema de livre mercado e da chamada lei de ferro dos salários. A desigualdade econômica deveria ser aceita como o preço a pagar pelo progresso.[22]

Na primeira década do século 20, a desigualdade econômica na Inglaterra, na França e na maioria dos países europeus havia retornado aos níveis muito elevados que existiam no século 18, antes da Revolução Francesa. Os 10 por cento mais ricos da população possuíam 90 por cento da riqueza nacional e recebiam quase 50 por cento do total da renda nacional (renda de trabalho e capital). O 1 por cento mais rico possuía mais de 50 por cento da riqueza nacional e recebia cerca de 20 por cento da renda nacional. Os 40 por cento de rendimento médio possuíam de 5 a 10 por cento da riqueza nacional e os 50 por cento mais pobres, menos do que 5 por cento. Nenhuma verdadeira classe média existia.[23]

A Revolução Industrial progrediu em ritmo menos acelerado no Novo Mundo, mas nas últimas décadas do século 19 os Estados Unidos também enfrentaram uma rápida e crescente desigualdade econômica, envolvendo grandes concentrações de riqueza entre um grupo de elite de capitalistas, enquanto uma crescente classe de trabalhadores lutava com condições brutais de trabalho, longas horas e baixos salários.[24] Pouco antes da Primeira Guerra Mundial, a desigualdade econômica nos Estados Unidos também tinha atingido níveis muito elevados, embora não fossem os níveis extremos vistos na Europa. Os 10 por cento mais ricos possuíam 80 por cento da riqueza do país e recebiam mais de 40 por cento da renda da nação. O 1 por cento mais rico possuía mais de 40 por cento do capital do país e recebia 20 por cento da renda nacional. A classe média surgida no século 19 lutava para sobreviver.[25]

Karl Marx (1818-1883) e outros socialistas do século 19 previram que o sistema econômico capitalista levaria a uma maior concentração de riqueza e desigualdade, gerando cada vez mais conflitos de classes. Eles apontavam o individualismo, a competição e a propriedade privada dos meios de produção como as principais causas da opressão e da injustiça sofridas pela classe trabalhadora. Prevendo o inevitável colapso e a derrocada do capitalismo, apresentavam visões de uma sociedade sem classes que envolvia uma maciça redistribuição da riqueza. Refletindo sobre a estreita associação entre igualdade e liberdade, Rosanvallon argumenta que a "crítica [socialista] das desigualdades econômicas sempre esteve ligada à meta de uma sociedade sem barreiras, em que as diferenças individuais não levam à exploração, dominação ou exclusão". Em relação à distribuição de renda e de riqueza, a máxima amplamente citada de Marx afirma: "De cada um segundo a sua capacidade, para cada um de acordo com a sua necessidade".[26]

O século 20 assistiu, no mundo desenvolvido, a uma dramática inversão da tendência do século 19 para a desigualdade econômica. A injustiça inerente ao sistema econômico levou a uma reavaliação radical do papel que o Estado deveria desempenhar na economia e na vida social de uma nação, levando à criação do Estado social moderno. O resultado foi uma grande redistribuição de riqueza e a redução da desigualdade econômica, que continuaram nos Estados Unidos e na Europa ao longo da década de 1970. Na maior parte do século 20, a renda que ia para o 1 por cento e os 10 por cento mais ricos diminuiu, e a parcela de riqueza e renda nacional desse grupo caiu significativamente. Na Europa, por exemplo, entre 1910 e 1970, a parcela de riqueza nacional dos 10 por cento mais ricos caiu de 90 por cento para 60 por cento, e a parcela da renda nacional desse grupo diminuiu de entre 45 a 50 por cento para 30 por cento. A parcela da riqueza nacional que estava nas mãos do 1 por cento mais rico foi reduzida em mais da metade – de 50 por cento para 20 por cento –, assim como sua parcela da renda nacional – de 20 por cento para 9 por cento.[27]

Nos Estados Unidos, o declínio da desigualdade econômica não se igualou ao declínio ocorrido na Europa, mas mesmo assim foi substancial. Entre 1910 e 1970, a parcela de riqueza nacional possuída pelos 10 por cento mais ricos caiu de 80 por cento para 65 por cento e a parcela desse grupo da renda nacional caiu de 42 por cento para 33 por cento. No caso do 1 por cento mais rico, a sua parcela de riqueza nacional diminuiu de mais de 40 por cento para 28 por cento e sua parcela na renda nacional caiu de 20 por cento para 9 por cento. Além disso, nas décadas imediatamente posteriores à Segunda Guerra Mundial, os salários dos trabalhadores nos Estados Unidos e em grande parte da Europa subiram, à medida que a produtividade aumentava e surgia uma classe média vibrante. Piketty escreve: "O crescimento de uma verdadeira 'classe média patrimonial' (ou de proprietários) foi a principal transformação estrutural da distribuição da riqueza nos países desenvolvidos no século XX".[28]

Muitos fatores contribuíram para o desenvolvimento do Estado do bem-estar social e as reduções na desigualdade econômica, entre eles a ascensão de novos movimentos políticos progressistas e a reforma do liberalismo, a formação de um poderoso movimento operário, a crítica marxista do capitalismo e a revolução bolchevique de 1917, o medo da luta de classes e da anarquia, o impacto devastador da Grande Depressão e duas guerras mundiais que despertaram sentimentos novos de sacrifício e solidariedade compartilhada.[29] Um novo sentido de interdependência social e econômico substituiu ideias anteriores do indivíduo atomístico e autossuficiente, causando preocupação naqueles cujas fortunas são moldadas por forças econômicas e sociais sobre as quais não têm controle. Durante um século turbulento, a democracia provou ser extraordinariamente resiliente e capaz de uma governança eficaz em face de enormes desafios. A liberdade e os direitos humanos eram defendidos contra o totalitarismo, e o capitalismo de mercado passou por reformas de longo alcance e foi defendido contra o comunismo.

A grande mudança na política social que causou uma redução na desigualdade econômica e tornou possível uma redistribuição da riqueza foi a adoção generalizada do imposto de renda progressivo e dos impostos sucessórios, que subiram para níveis muito elevados a partir da época da Primeira Guerra Mundial até a década de 1980, especialmente na Grã-Bretanha e nos Estados Unidos. Por exemplo, a alíquota marginal máxima do imposto de renda nos Estados Unidos era de mais de 70 por cento durante a Primeira Guerra Mundial, subiu para

80 por cento durante a Grande Depressão e para mais de 90 por cento durante a Segunda Guerra Mundial, mantendo-se em 70 por cento ao longo dos anos 1960 e 1970. De 1933 até o início de 1980, as alíquotas máximas sobre heranças também foram muito altas.[30] Para defender políticas fiscais de sua administração em 1936, o presidente Franklin Roosevelt teria declarado: "Eis o meu princípio: os impostos serão cobrados de acordo com a capacidade de pagamento. Esse é o único princípio americano".[31]

Durante o século 20, as receitas fiscais e os gastos sociais do governo na Europa e na América do Norte aumentaram significativamente. Entre as nações mais ricas, só os gastos com programas sociais representaram 25 a 35 por cento da renda nacional. A redistribuição da riqueza pelos novos Estados sociais não envolveu, em sua maior parte, uma transferência direta da renda dos ricos para os pobres. O mecanismo de redistribuição baseava-se na ideia de que todos têm direitos sociais a determinados bens sociais essenciais, como educação, saúde, seguro-desemprego e uma pensão de aposentadoria, e os governos têm a responsabilidade de fornecer ou assegurar a igualdade de acesso a essas coisas necessárias à liberdade, à igualdade de oportunidades e à busca da felicidade.[32]

A preocupação em combater a desigualdade e a injustiça econômica durante as primeiras décadas do século 20 também se refletiu no papel ampliado que a filantropia privada desempenhou nos Estados Unidos. Alguns dos indivíduos mais ricos investiam porções substanciais de suas fortunas pessoais em iniciativas filantrópicas inovadoras. De importância especial foi o desenvolvimento da filantropia estratégica e a criação da fundação moderna. A filantropia estratégica, diferente da obra beneficente, concentra-se em causas e busca soluções de longo prazo para os principais problemas sociais. Ela conseguiu fazer contribuições significativas em domínios como a erradicação de doenças, cuidados com a saúde, agricultura, educação e conservação. Quando a riqueza privada é combinada com um elevado sentido de responsabilidade social e espírito filantrópico, ela pode se tornar um meio de promover o bem comum e desenvolver o terceiro setor e uma sociedade civil mais forte. Uma sociedade democrática saudável necessita de uma sociedade civil bem organizada para contrabalançar a influência dos negócios e tornar os governos mais transparentes e responsáveis. A filantropia com uma visão social progressista e um terceiro setor bem desenvolvido são essenciais para a vitalidade criativa de uma sociedade democrática que se esforça para respeitar os direitos humanos universais e promover a mudança social.

A redução da desigualdade econômica no século 20 no Ocidente acabou por volta de 1980. O Estado do bem-estar social sofreu ataques por fomentar a dependência e prejudicar o desenvolvimento da responsabilidade individual. A tributação progressiva e os impostos sobre heranças foram cortados em vários países onde seus níveis eram muito elevados, e as políticas de gastos do governo tornaram-se menos redistributivas. A renda do 1 por cento e dos 10 por cento mais ricos começou a subir novamente, e a desigualdade econômica passou a crescer constantemente desde então. Os salários da classe média deixaram de subir com a produtividade e estagnaram. O aumento da desigualdade econômica tem sido muito mais dramático nos Estados Unidos do que na Europa. Em 2010, os 10 por cento mais ricos entre os americanos possuíam mais de 70 por cento da riqueza do país e recebiam perto de 50 por cento da renda nacional, em vez dos 30 a 35 por cento da década de 1970. O 1 por cento mais rico possuía 35 por cento do capital nacional e recebia 20 por cento da renda americana, em vez dos 9 por cento da década de 1970. Mesmo que o índice de pobreza continuasse a ser consideravelmente menor do que na época em que o presidente Lyndon Johnson lançou a "guerra contra a pobreza", na década de 1960, em 2010 os 50 por cento mais mal remunerados possuíam apenas 2 por cento da riqueza da nação e não recebiam mais de 20 por cento da renda nacional. O Affordable Care Act [Lei de Proteção e Cuidado ao Paciente] melhorou a situação de milhões de pessoas, mas tais iniciativas enfrentam oposição política persistente. A desigualdade de renda nos Estados Unidos no século 21 está atingindo os níveis elevadíssimos que existiam na Europa nas vésperas da Primeira Guerra Mundial.[33]

Ao longo das últimas três décadas, a globalização econômica, a revolução da tecnologia da informação, a relocação de postos de trabalho para países de baixos salários e o uso crescente da inteligência de máquina (robôs e processos automatizados) nas indústrias têm sido fatores importantes na estagnação dos salários da classe média e na perda de postos de trabalho de baixa ou média qualificação nos Estados Unidos e em outros países desenvolvidos.[34] A revolução digital está transformando os processos de produção criados pela Revolução Industrial e dando origem a um novo sistema econômico global integrado. No entanto, a revolução digital ainda não criou um número significativo de postos de trabalho para o trabalhador comum. Segundo o jornal *The Economist*: "Uma grande riqueza está sendo criada sem muitos trabalhadores; e, com exceção de uma pequena elite, o trabalho já não garante uma renda crescente".[35] As nações em desenvolvimento mais avançadas, como a China, estão começando a vivenciar essas mesmas dinâmicas econômicas. A economia global está nas garras de forças poderosas de acelerada mudança revolucionária, e os líderes políticos e os governos estão lutando para acompanhar essa mudança.

Uma das principais causas do aumento dramático na desigualdade de renda nos Estados Unidos e em outros países desenvolvidos tem sido uma explosão nos salários dos líderes de grandes empresas comerciais e outras organizações privadas. Os 10 por cento dos assalariados mais bem remunerados apropriaram-se de três quartos do aumento total na renda americana entre 1977 e 2007, e a maior parte foi para o 1 por cento mais rico. Os CEOs têm rendimentos cerca de 300 vezes maiores do que a grande maioria dos trabalhadores. Do aumento de renda gerado pela recuperação da Grande Recessão de 2008, 95 por cento foi para o 1 por cento mais bem remunerado. O Federal Reserve dos Estados Unidos relata que, durante o período de 2010 a 2013, a renda dos 10 por cento dos norte-americanos mais ricos continuou a subir, enquanto os ganhos ajustados pela inflação dos 90 por cento mais mal remunerados diminuiu.[36]

Se adotarmos uma perspectiva global, veremos que existem algumas tendências econômicas positivas e encorajadoras. Segundo a ONU, o número de pessoas que vivem na fome e na pobreza extrema diminuiu significativamente no século 21. O índice de mortalidade de crianças de até 5 anos caiu quase pela metade nas últimas décadas.[37] Além disso, embora a desigualdade de renda *per capita* entre as nações seja grande, a tendência é que a desigualdade diminua. A renda média *per capita* na Europa Ocidental, na América do Norte e no Japão é dez a vinte vezes maior do que na Índia e na África Subsaariana. No entanto, "o mundo parece ter entrado em uma fase em que países ricos e pobres estão convergindo em sua renda".[38] A parcela da produção global de bens e serviços e a parcela da renda que vai para os países em desenvolvimento têm aumentado significativamente ao longo das últimas três décadas. Por exemplo, o desempenho econômico combinado de Brasil, China e Índia agora é aproximadamente igual ao desempenho combinado de Canadá, França, Alemanha, Itália, Reino Unido e Estados Unidos, e o PIB desses três países em desenvolvimento em breve vai ultrapassar o PIB dessas seis nações desenvolvidas. Além disso, o Programa das Nações Unidas para o Desenvolvimento (PNUD) relata que: "Ao longo das últimas décadas, países em todo o mundo têm convergido para níveis mais elevados de desenvolvimento humano" e "diante dessa realidade, o mundo está se tornando menos desigual". Isso tudo é parte do que o PNUD chamou de "a ascensão do Sul", que envolve um grande "reequilíbrio do poder econômico global".[39]

Apesar desses desenvolvimentos, a Comissão Oxford Martin para as Gerações Futuras relata que, no que se refere à concentração de riqueza no topo, "a globalização tem sido associada à desigualdade crescente". Em 2012, 0,6 por cento da população adulta do mundo possuía perto de 40 por cento da riqueza mundial. Cerca de 8 por cento da população adulta detinha mais de 80 por cento da riqueza do mundo. A renda do capital e do trabalho nas mãos do 1,75 por cento mais rico era maior do que a renda total dos 77 por cento mais pobres.[40] Desde 1980, em todas as regiões do mundo e na grande maioria dos países, a desigualdade de renda só tem aumentado.[41] O PNUD afirma que "a América Latina (...) tem a distribuição mais desigual de todas as regiões".[42] Em nações da África, da Ásia e da América Latina, tais como Argentina, Brasil, China, Colômbia, Índia, Indonésia, Quênia, México e África do Sul, há uma crescente concentração de riqueza no topo da pirâmide, e a desigualdade de renda apresenta níveis elevados.[43] A Comissão Oxford Martin conclui: "Gerar uma economia inclusiva, que compartilhe de forma apropriada e produtiva os benefícios e oportunidades de crescimento econômico mostrou ser uma meta distante".[44]

Sem alterações significativas na política econômica e social dos governos, a tendência para o aumento das concentrações de riqueza e crescente desigualdade de renda nas nações provavelmente vai continuar no século 21. A revolução digital e a remuneração dos CEOs são fatores que contribuem, mas Thomas Piketty identifica um fator mais fundamental que impulsiona a desigualdade econômica. O que causou a tendência para a desigualdade nas economias capitalistas durante o século 19 e que com toda a probabilidade irá impulsioná-la no século 21 é uma realidade econômica básica: a taxa de retorno sobre o capital (ativos financeiros, propriedade industrial, imóveis etc.), como regra geral, excede a taxa de crescimento da economia (a taxa de crescimento da produção e renda anual *per capita*), levando ao aumento das concentrações de riqueza com uma parcela crescente da renda nacional total. A riqueza acumulada cresce mais rápido do que a economia, e não há forças naturais em um sistema capitalista não regulamentado que detenham essa tendência. As forças de mercado e o progresso tecnológico por si sós não são suficientes para promover a justiça social e econômica, e regimes reguladores fracos permitem que as desigualdades persistam e cresçam. Historicamente, estima-se que o capital tenha crescido a uma taxa de 3 a 5 por cento, enquanto a economia tem, em sua maior parte, crescido em um ritmo bem mais lento. Durante períodos de maior instabilidade geopolítica, como o de 1914 a 1945, essa tendência pode ser revertida, mas em uma economia capitalista a tese é a de que ela sempre voltará a se impor. Essa realidade, afirma Piketty, "representa a principal ameaça a uma distribuição igualitária da riqueza a longo prazo".[45]

Capital in the Twenty-First Century adverte, no entanto, que não se pode usar essas observações relacionadas à taxa de retorno sobre o capital para respaldar a teoria do determinismo econômico quando o assunto é desigualdade econômica. "A história da distribuição da riqueza jamais deixou de ser profundamente política", escreve Piketty, "o que impede sua restrição aos mecanismos puramente econômicos." Uma democracia com uma visão clara de justiça social e econômica pode criar as políticas e instituições necessárias para "assegurar que o interesse geral prevaleça sobre o interesse privado".[46] O economista da Columbia University Joseph Stiglitz concorda, argumentando que os altos níveis de desigualdade em riqueza e renda não devem ser aceitos como um resultado inevitável de um sistema capitalista. "A ampliação e o aprofundamento da desigualdade", afirma ele, "não são impulsionados por leis econômicas imutáveis, mas pelas leis que escrevemos."[47]

No entanto, como Stiglitz assinala, hoje em dia o que torna tão difíceis as mudanças necessárias na política é a maneira como a desigualdade econômica leva à desigualdade política. Dada a forma como a lei é escrita e o sistema político funciona nos Estados Unidos e em muitos outros países, grandes riquezas dão aos indivíduos e às corporações a capacidade de comprar influência política, controlar a tomada de decisão democrática e obstruir a mudança. A influência do dinheiro e de poderosos interesses especiais na política está minando a capacidade do governo democrático de regular o capitalismo de mercado de forma inteligente e responsável. Em resultado, existe um declínio na confiança que a população tem no governo e no processo democrático, bem como uma "crise de confiança" no sistema econômico capitalista. A reforma do sistema político democrático deve fazer parte de qualquer esforço com uma possibilidade realista de reformar o capitalismo e reverter as tendências mundiais em direção à desigualdade econômica.[48]

Nunca houve um momento em que a desigualdade econômica nos países democráticos industrializados fosse baixa. Construir e sustentar uma ordem econômica justa e que apoie o princípio da igualdade é claramente um desafio extraordinariamente difícil do ponto de vista econômico e político. A desigualdade econômica nos Estados Unidos esteve provavelmente nos seus níveis mais baixos em 1950. No entanto, escrevendo no final daquela década, John Kenneth Galbraith, em seu influente estudo *The Affluent Society* (1958), relata que "a desigualdade ainda é grande".[49] Galbraith, porém, afirma em seu livro também que, no final dos anos 1950, a desigualdade econômica era algo cujo interesse estava em declínio como questão econômica e política urgente. Ao explicar o porquê, ele escreve:

> (...) verificou-se uma redução modesta na proporção da renda disponível que vai para as faixas de renda altíssima e um aumento substancial na proporção que cabe aos contribuintes de renda média e baixa. Enquanto os impostos restringiram a concentração de renda no topo, o pleno emprego e a pressão ascendente sobre os salários aumentaram o bem-estar na base.[50]

Foi a melhoria no padrão de vida da grande maioria dos cidadãos que inspirou a crescente confiança no capitalismo democrático no Ocidente e em grande parte do mundo, durante as décadas seguintes à Segunda Guerra Mundial. A experiência americana a partir dessa época contém uma importante lição sobre o que é necessário para restaurar essa confiança e para resolver os problemas econômicos e tensões sociais que historicamente acompanharam a desigualdade econômica.

Entre as nações desenvolvidas ao longo dos últimos cem anos, os países escandinavos provavelmente foram, entre 1970 e 1980, aqueles com os mais baixos níveis de desigualdade econômica. No entanto, mesmo nesses países os 10 por cento mais ricos detinham 50 por cento da riqueza nacional e recebiam 25 por cento da renda nacional. Os 50 por cento mais pobres da população possuíam menos de 10 por cento da riqueza nacional e recebiam 30 por cento da renda.[51] Quais seriam uma meta e um ideal realistas quanto à distribuição de riqueza e renda entre o 1 por cento mais rico, os 10 por cento mais ricos, a classe média e os mais pobres? Não há uma fórmula pronta para responder a essa pergunta. Apoio ao desenvolvimento econômico inovador é fundamental. No entanto, o mérito da ordem econômica de uma nação tem que ser avaliado com base na forma como ela efetivamente serve ao bem comum, proporcionando oportunidades iguais para todos, progresso nos direitos humanos e a garantia de que a prosperidade é amplamente compartilhada, e pela forma como ela cuida dos mais desfavorecidos e pobres e protege a saúde e a biodiversidade ecológica do planeta. Cada país deve descobrir uma forma de abordar esses desafios no contexto da sua situação cultural, econômica e política distinta.

A Carta da Terra fornece algumas diretrizes que podem ajudar a orientar o debate e estabelecer as metas. Além disso, a Carta da Terra reconhece que as questões de justiça social e econômica hoje estão interligadas às questões da degradação ecológica e das mudanças climáticas. São os pobres, por exemplo, os que mais sofrem com a poluição do ar e da água, o esgotamento dos recursos naturais, tais como solos férteis, pescados e florestas, e fenômenos climáticos violentos ligados às alterações no clima.

4. A Carta da Terra e o Princípio da Igualdade

A proposta inicial para a elaboração de uma Carta da Terra encontra-se em *Nosso Futuro Comum* (1987), o relatório pioneiro sobre o desenvolvimento sustentável, elaborado pela Comissão Mundial sobre Meio Ambiente e Desenvolvimento (WCED). A Conferência das Nações Unidas sobre Meio Ambiente e Desenvolvimento (UNCED), a Cúpula da Terra Rio-92, aceitou o desafio, mas não se conseguiu chegar a um acordo governamental em relação aos princípios para uma Carta da Terra. Tomando a UNCED como modelo, o secretário-geral da Conferência, Maurice Strong, criou o Conselho da Terra para dar continuidade ao trabalho inacabado da Cúpula, incluindo a elaboração da Carta da Terra. Um novo processo de consulta e elaboração da Carta da Terra foi iniciado em 1995. No entanto, ele foi projetado para ser um processo da sociedade civil, não uma negociação intergovernamental, e a iniciativa chegou a envolver centenas de organizações e milhares de pessoas em todo o mundo. Sob a liderança de Mikhail Gorbachev, a Cruz Verde Internacional se uniu a Maurice

Strong e ao Conselho da Terra em apoio ao projeto, e o governo dos Países Baixos forneceu o capital inicial. Em 1996, uma Comissão da Carta da Terra, composta de mais de vinte membros, foi formada para supervisionar o processo de elaboração, conduzido por um Comitê de Redação internacional que trabalhou em estreita colaboração com a Secretaria da Carta da Terra, com sede na Costa Rica. Em março de 2000, a Comissão finalizou o texto da Carta da Terra, durante uma reunião na sede da UNESCO em Paris, e em junho a Carta da Terra foi lançada no Palácio da Paz em Haia.

O principal propósito do processo de elaboração da Carta da Terra foi estabelecer o consenso emergente na sociedade civil global em rápida expansão com relação a princípios éticos fundamentais para a criação de uma comunidade mundial justa, sustentável e pacífica. O objetivo era usar uma linguagem e articular valores e ideais que seriam amplamente aceitos em diversas culturas, países e setores. A Carta da Terra foi elaborada para ser uma declaração de valores universais que promove a ação transformadora tanto local quanto globalmente. Concordou-se que a Carta devia ser mantida o mais concisa possível e se restringir à articulação de princípios fundamentais e metas estratégicas amplas. Não era o propósito da Carta dar orientações sobre os meios práticos e mecanismos de implementação dos princípios, o que exigiria um documento longo e complexo. O Comitê de Redação da Carta da Terra buscou inspiração nas visões das grandes tradições religiosas e espirituais do mundo, e a elaboração de uma série de princípios foi muito influenciada pela ciência contemporânea. A Carta da Terra também amplia as leis internacionais vigentes nas áreas de conservação ambiental e desenvolvimento sustentável, esperando-se o endosso ou reconhecimento formal da Assembleia Geral das Nações Unidas.[52]

A Carta da Terra começa com um Preâmbulo que é seguido por dezesseis princípios principais. Cada princípio é redigido como um imperativo ético e um apelo à ação. Os princípios são divididos em quatro partes, cujos títulos indicam a abrangência da visão da Carta da Terra, que reconhece a inter-relação dos problemas sociais e econômicos da humanidade e seus desafios ambientais, os quais requerem um pensamento holístico, planejamento integrado e uma ação coordenada.

I. Respeitar e Cuidar da Comunidade da Vida

II. Integridade Ecológica

III. Justiça Social e Econômica

IV. Democracia, Não Violência e Paz

Cada uma das quatro partes tem quatro grandes princípios. Os quatro princípios principais da Parte I são mais gerais e projetados para fornecer uma visão geral concisa da visão ética da Carta da Terra. Os doze princípios seguintes e os seus subprincípios desenvolvem a visão mais completamente.

O que é mais marcante na Carta da Terra, em comparação com as declarações das Nações Unidas sobre o desenvolvimento sustentável, como a Declaração do Rio (1992), é a ênfase clara e forte que a Carta da Terra dá ao respeito e cuidado pela Terra e à grande comunidade da vida como uma diretriz ética básica essencial para se alcançar a sustentabilidade ecológica e um futuro promissor para a humanidade. A Carta da Terra rejeita uma visão de mundo antropocêntrica que considere a biosfera simplesmente como uma coleção de recursos naturais para a exploração do ser humano, meros meios para fins humanos. A ciência, a tecnologia e o interesse próprio esclarecido e bem informado são todos decisivos para a transformação necessária da civilização, mas eles não bastam. A natureza nociva do relacionamento da humanidade com os ecossistemas da Terra é, em um grau significativo, um problema ético e espiritual. Uma grande transição para um futuro sustentável requer uma mudança na mente e no coração que envolve o despertar de um profundo sentimento de pertencer ao universo, juntamente com o respeito pela natureza em si e por si, bem como pelo seu valor utilitário para as pessoas. A Carta da Terra é uma declaração centrada tanto nas pessoas quanto na Terra.

A renovação do espírito democrático de respeito pela dignidade inerente e igual de todas as pessoas deve ser parte integrante de qualquer estratégia para revitalizar as instituições democráticas e reduzir a desigualdade econômica. Esse espírito democrático permeia toda a Carta da Terra. Nesse sentido, a Carta da Terra defende com veemência os direitos humanos universais, a democracia participativa, a justiça social e econômica, a igualdade de mulheres e homens, e a eliminação de todas as formas de discriminação. O apelo para proteger e promover os direitos humanos é especialmente significativo, uma vez que o conceito de direitos humanos universais é alicerçado no princípio moral do respeito pela dignidade inerente e igual de todos os seres humanos. As leis que garantem os Direitos Humanos se esforçam para esclarecer as condições necessárias para a realização da igualdade e da liberdade. Além disso, o princípio da igualdade sempre esteve relacionado ao respeito mútuo e a transformar a maneira como as pessoas se relacionam e trabalham juntas na vida cotidiana. Nesse contexto, os princípios da Carta da Terra começam com um apelo por uma ética de respeito e cuidado, e culminam com uma visão de comunidade e paz inclusivas que enfatiza o relacionamento correto.

No espírito de igualdade e solidariedade, o primeiro parágrafo do Preâmbulo da Carta da Terra afirma que "somos uma família humana e uma comunidade terrestre com um destino comum". Ele resume brevemente a visão ética inclusiva da Carta da Terra com a declaração: "é imperativo que nós, os povos da Terra, declaremos nossa responsabilidade uns para com os outros, com a grande comunidade da vida e com as futuras gerações". O Preâmbulo sublinha a importância dos "direitos humanos universais" e defende explicitamente "o espírito da solidariedade humana". Os Princípios 1 e 2 articulam uma ética de respeito e cuidado para com toda a vida, fazendo um apelo pela "compreensão, a compaixão e o amor". Usando a linguagem da linha de abertura da Declaração Universal dos Direitos Humanos, o Princípio 1.b afirma "a fé na dignidade inerente de todos os seres humanos". O Princípio 3 é o imperativo de construir "sociedades democráticas que sejam justas, participativas, sustentáveis e pacíficas". Refletindo a visão revolucionária do século 18 da estreita inter-relação entre igualdade, liberdade e direitos humanos, o Princípio 3 afirma: "Assegurar que as comunidades em todos níveis garantam os direitos humanos e as liberdades fundamentais e proporcionem a cada um a oportunidade de realizar seu pleno potencial".

A Declaração Universal dos Direitos Humanos afirma que "Todos os seres humanos nascem livres e iguais em dignidade e direitos" (Artigo 1º). A Carta da Terra reivindica a proteção e a promoção da dignidade de todos os seres humanos em três de seus dezesseis princípios fundamentais. O Princípio 9 é o imperativo para erradicar a pobreza e será discutido na próxima seção deste ensaio sobre a Carta da Terra e a desigualdade econômica. No Princípio 11, a Carta reconhece "a igualdade e a equidade de gênero como pré-requisitos para o desenvolvimento sustentável" e enfatiza a importância decisiva do "acesso universal à educação, à assistência de saúde e às oportunidades econômicas". O Princípio 11.a afirma: "Assegurar os direitos humanos das mulheres e das meninas e acabar com toda violência contra elas". O Princípio 11.b esclarece, ainda, que o avanço da igualdade das mulheres significa: "Promover a participação ativa das mulheres em todos os aspectos da vida econômica, política, civil, social e cultural como parceiras plenas e paritárias, tomadoras de decisão, líderes e beneficiárias". A Carta da Terra reconhece que a explosão populacional ao longo do século passado é um fator importante que contribui para o esgotamento dos recursos naturais e a degradação dos ecossistemas. É também a posição da Carta da Terra que a maneira mais eficaz de reduzir as taxas insustentáveis de crescimento da população é garantir o acesso das mulheres e meninas à educação, à saúde e às oportunidades econômicas.

A promoção da igualdade requer a superação da discriminação em todas as suas formas, inclusive a de negar aos indivíduos os seus direitos humanos básicos. A Carta da Terra clama pelo fim da discriminação. Na elaboração do Princípio 12, a intenção original era afirmar o direito humano a um meio ambiente saudável, mas à medida que o princípio foi se desenvolvendo ele passou a abarcar uma visão mais abrangente. O Princípio 12 afirma: "Defender, sem discriminação, o direito de todas as pessoas a um ambiente natural e social capaz de assegurar a dignidade humana, a saúde corporal e o bem-estar espiritual, concedendo especial atenção aos direitos dos povos indígenas e minorias". O Princípio 12.a afirma explicitamente: "Eliminar a discriminação em todas as suas formas, como as baseadas em raça, cor, gênero, orientação sexual, religião, idioma e origem nacional, étnica ou social". Com base no apoio da Carta da Terra aos direitos humanos em geral, os Princípios 11 e 12, juntamente com os seus subprincípios afirmam claramente a igual dignidade de todas as pessoas – de mulheres e homens e dos membros de todas as raças, religiões, nações e classes. Esses dois princípios rejeitam todas as formas de discriminação que negam aos indivíduos sua dignidade humana e levam à exploração e à exclusão.

A Carta da Terra também apoia uma visão de igualdade política e cidadania partilhada com sua ênfase na construção de "sociedades democráticas", que envolvam "a participação inclusiva na tomada de decisões". (Ver Princípios 3, 13, 13.a e 13.b.) O Princípio 13.c destaca "os direitos à liberdade de opinião, de expressão, de assembleia pacífica, de associação e de oposição". Os Princípios 13 e 13.d enfatizam a importância do "acesso à justiça" e "procedimentos judiciais independentes", essenciais para a igualdade perante a lei.

Em recente publicação sobre a Carta da Terra, argumenta-se que o Princípio 1.b, referente à "dignidade inerente a todos os seres humanos", teria sido reforçado se fosse acrescentado o adjetivo "igual", de modo que o Princípio afirmasse "a dignidade inerente e igual de todos os seres humanos".[53] Se esse acréscimo tivesse sido recomendado durante o processo de redação, a palavra "igual" poderia muito bem ter sido adicionada ao Princípio 1.b, uma vez que ela seria absolutamente coerente com a visão da Carta da Terra. No entanto, a Declaração Universal dos Direitos Humanos afirma no artigo 1º que todas as pessoas são "iguais em dignidade", a Carta da Terra torna claro o seu apoio à Declaração Universal, e a linguagem sobre "a dignidade inerente" de todos os seres humanos, que vem da Declaração Universal, foi considerada suficiente no âmbito do Princípio 1 para abranger essa questão.[54] A esse respeito, vale a pena salientar que, em relatórios recentes do Secretário-Geral das Nações Unidas sobre a Agenda de Desenvolvimento Sustentável Pós-2015, a "dignidade para todos" é citada como um ideal de governo supremamente importante, que abrange a luta pela igualdade e implica uma abordagem "baseada nos direitos humanos" que "não deixa ninguém para trás".[55]

A Carta da Terra reconhece a estreita ligação entre o ideal de igualdade e o princípio da sustentabilidade. Quando o conceito de desenvolvimento sustentável surgiu na década de 1980 como uma poderosa e nova visão para o futuro nos fóruns internacionais, ele estava estreitamente relacionado com o princípio da responsabilidade intergeracional. A Comissão Mundial sobre Meio Ambiente e Desenvolvimento, no seu relatório *Nosso Futuro Comum* (1987), definiu o desenvolvimento sustentável como "o processo que satisfaz as necessidades do presente sem comprometer a capacidade das gerações futuras de suprir as suas próprias necessidades".[56] A Comissão estava especialmente preocupada com as necessidades daqueles nas futuras gerações que vivem na pobreza. A Carta da Terra afirma o ideal moral da responsabilidade intergeracional. O Princípio 4 é o imperativo para "Garantir as dádivas e a beleza da Terra para as gerações presentes e futuras", e o Princípio 4.a afirma: "Reconhecer que a liberdade de ação de cada geração é condicionada pelas necessidades das gerações futuras". A sustentabilidade como equidade intergeracional é o imperativo ético de respeitar a dignidade e a igualdade de direitos das gerações futuras. Está centralmente ligada ao compromisso de assegurar a igualdade de oportunidades. Se as atuais tendências ambientais persistirem, as gerações futuras herdarão um planeta superpovoado com recursos esgotados, uma atmosfera perigosamente superaquecida e ecossistemas extremamente degradados. Eliminar a pobreza e assegurar um nível de vida decente para todos vai se tornar uma tarefa impossível. Para promover a igualdade a longo prazo, é preciso sustentabilidade.

Para que se compreenda plenamente o papel do princípio do respeito pela igual dignidade de todos na Carta da Terra, é necessário entender a visão da Carta da Terra sobre o desenvolvimento humano. O desenvolvimento está ligado à melhoria nos padrões de vida e na qualidade de vida. O conceito de desenvolvimento humano foi introduzido pelo Programa das Nações Unidas para o Desenvolvimento (PNUD) em 1990, em reconhecimento de que o crescimento econômico e a renda *per capita* não são, por si sós, critérios adequados para se avaliar o progresso real em desenvolvimento. O Índice de Desenvolvimento Humano (IDH), que se baseia em dados como expectativa de vida, saúde e educação, bem como renda, foi desenvolvido para fornecer um conjunto mais holístico de indicadores de desenvolvimento. A meta de desenvolvimento a partir da perspectiva do desenvolvimento humano envolve garantir liberdades básicas, expandir escolhas e capacitar as pessoas para realizar seu pleno potencial na vida em sociedade e através da sua contribuição a ela, levando ao bem-estar individual e coletivo.

O Preâmbulo da Carta da Terra também reconhece que o desenvolvimento humano também tem uma dimensão ética e espiritual. O Preâmbulo afirma que "quando as necessidades básicas forem atingidas, o desenvolvimento humano será primariamente voltado para ser mais, não a ter mais". A Carta da Terra não endossa a noção de que o bem-estar é gerado pelo cultivo de ainda mais desejos e vontades e por um consumo ainda maior. No entanto, o desejo por um padrão de vida melhor é uma aspiração natural e a democracia dá aos cidadãos a liberdade de buscar riqueza material, mas os cidadãos de uma democracia saudável compreendem que liberdade sem responsabilidade é insustentável. Ser mais envolve reconhecer "que o aumento da liberdade, dos conhecimentos e do poder implica responsabilidade na promoção do bem comum" (Princípio 2.b). A Carta da Terra associa "ser mais" com perceber "o potencial intelectual, artístico, ético e espiritual da humanidade" e com a construção de um mundo melhor que funcione para todos (Princípio 1.b). Eis o verdadeiro caminho para o desenvolvimento e o bem-estar humanos.

Nesse sentido, os Princípios 11 e 14 salientam a importância fundamental do "acesso universal à educação" e da "aprendizagem ao longo da vida". Além disso, a parte conclusiva da Carta da Terra, "O Caminho Adiante", clama por "uma mudança na mente e no coração". Fundamental para "ser mais" é o tipo de despertar espiritual que leva ao discernimento moral, ao crescimento interior e à transformação. A Carta da Terra identifica um conjunto de valores morais e espirituais universais que são chaves para o desenvolvimento e o bem-estar humanos no século 21. Eles incluem reverência pelo mistério do ser, gratidão, humildade, respeito e cuidado, compaixão e amor, reverência pela vida, apreciação da beleza, justiça, responsabilidade universal, solidariedade, não violência, tolerância e paz. O Princípio 14.d afirma "a importância da educação moral e espiritual". O Princípio 7.f afirma: "Adotar estilos de vida que acentuem a qualidade de vida e subsistência material num mundo finito".

Promover a paz é um objetivo fundamental da Carta da Terra, e seu último princípio principal, o Princípio 16, é um chamado para "promover uma cultura de tolerância, não violência e paz". O princípio da paz vem por último porque a Carta da Terra reconhece que, para construir uma cultura de paz é necessário que haja o compromisso de todos com os quinze princípios anteriores. Além disso, o último princípio, 16.f, define a paz como "a plenitude criada por relações corretas consigo mesmo, com outras pessoas, outras culturas, outras vidas, com a Terra e com a totalidade maior da qual somos parte". "Ser mais" leva à relação correta. A Carta da Terra apoia uma espiritualidade relacional como o verdadeiro caminho para o desenvolvimento humano, a integridade e a paz. O espírito democrático de respeito pela igual dignidade de todos os seres humanos é fundamental para essa visão de relacionamento correto.

5. A Carta da Terra e a Desigualdade Econômica

Desde o início do processo de elaboração da Carta, houve uma grande preocupação com a conservação ambiental e os modos de vida sustentáveis. Logo no início da Comissão e do Comitê de Redação, percebeu-se que, para a Carta da Terra ser capaz de garantir o apoio do mundo em desenvolvimento, era essencial que ela reconhecesse e abordasse a necessidade urgente de justiça social e econômica. Também ficou claro que os desafios ambientais, econômicos, políticos e sociais do mundo estão intimamente interligados. Em relação à desigualdade econômica, durante os anos 1990, a principal questão sobre a qual as Nações Unidas e as ONGs internacionais se debruçavam era a pobreza em massa no mundo em desenvolvimento. Declarações sobre a desigualdade econômica em geral referiam-se ao abismo que separa as nações mais ricas das mais pobres e o fato de que perto de dois milhões de pessoas viviam na pobreza, em meio a um mundo moderno com grande riqueza. Além disso, a erradicação da pobreza foi amplamente entendida como uma meta fundamental do desenvolvimento sustentável. Esse é um tema importante em *Nosso Futuro Comum* (1987) e nas declarações e relatórios emitidos pela Cúpula da Terra, a ECO-92. Quando a Carta da Terra estava sendo elaborada, começaram a ser emitidos relatórios sobre a desigualdade econômica em ascensão nos Estados Unidos e em outros países, que começou na década de 1980.[57]

Como observado anteriormente, o Preâmbulo da Carta da Terra reconhece que: "Os benefícios do desenvolvimento não estão sendo divididos equitativamente e o fosso entre ricos e pobres está aumentando". O Preâmbulo pede "justiça econômica" e a terceira das quatro partes em que os dezesseis princípios principais estão divididos é intitulada "Justiça Social e Econômica". Em resumo, a Comissão da Carta da Terra e o Comitê de Redação estavam conscientes da necessidade de abordar as questões de desigualdade econômica como uma parte essencial da agenda do desenvolvimento sustentável. Nesse contexto, a Carta da Terra destaca a necessidade urgente de erradicar a pobreza e faz um apelo por uma ordem econômica que promova o desenvolvimento humano, a igualdade de oportunidades, bem como a distribuição equitativa da riqueza.

O Princípio 9, que é o primeiro princípio da Parte III sobre "Justiça Social e Econômica", afirma: "Erradicar a pobreza como um imperativo ético, social e ambiental". A pobreza existe onde indivíduos, famílias ou comunidades não têm capacidade para atender às necessidades básicas da vida. Ela envolve a fome e condições de vida que negam aos indivíduos a possibilidade de assegurar seus direitos humanos básicos. É simultaneamente uma causa e uma consequência da degradação ambiental. Reconhecendo que, com a cooperação internacional e a parceria entre governo, sociedade civil e empresas, é possível no século 21 eliminar a pobreza, a Carta da Terra inclui as seguintes diretrizes de apoio ao Princípio 9.

a. Garantir o direito à água potável, ao ar puro, à segurança alimentar, aos solos não contaminados, ao abrigo e saneamento seguro, distribuindo os recursos nacionais e internacionais requeridos.

b. Prover cada ser humano de educação e recursos para assegurar uma subsistência sustentável, e proporcionar seguro social e segurança coletiva a todos aqueles que são incapazes de se manter por conta própria.

c. Reconhecer os ignorados, proteger os vulneráveis, servir àqueles que sofrem, e permitir-lhes desenvolver suas capacidades e alcançar suas aspirações.

O Princípio 9 e os seus subprincípios identificam metas que abordam os problemas mais básicos associados com a desigualdade econômica.

As Nações Unidas continuam a enfatizar a erradicação da pobreza como o objetivo mais importante do desenvolvimento sustentável. Em seu Relatório de Síntese de 2014 para a Assembleia Geral das Nações Unidas sobre os Objetivos de Desenvolvimento Sustentável Pós-2015, *O Caminho para a Dignidade até 2030*, o Secretário-Geral da ONU, Ban Ki-moon, afirma:

> Erradicar a pobreza até 2030 é o objetivo abrangente da agenda de desenvolvimento sustentável (...) O desafio

determinante do nosso tempo é fechar a lacuna entre a nossa determinação para assegurar uma vida digna para todos, por um lado, e a realidade da pobreza persistente e do aprofundamento das desigualdades.[58]

A fim de proporcionar à Agenda Pós-2015 objetivos e metas mensuráveis, a ONU formulou dezessete novos Objetivos de Desenvolvimento Sustentável (ODS) para substituir os Objetivos de Desenvolvimento do Milênio (ODMs). "Acabar com a pobreza em todas as suas formas, em todos os lugares" é a primeira das propostas dos novos ODS, que serão formalmente aprovados numa Cúpula especial das Nações Unidas sobre o Desenvolvimento Sustentável, em setembro de 2015.

Nas seções sobre "Integridade Ecológica" e "Justiça Social e Econômica", a Carta da Terra estabelece os princípios para a construção de uma ordem econômica internacional que seja justa e sustentável, servindo ao bem comum. Esses princípios deixam claro que o crescimento econômico não é um fim em si mesmo a ser perseguido sem que se leve em conta as suas consequências ecológicas e sociais. A Carta, na verdade, evita usar o termo "crescimento econômico", porque nos debates políticos ele é muitas vezes visto como um bem não qualificado e padrões problemáticos de produção e consumo são, então, justificados como essenciais para alcançá-lo. O desenvolvimento econômico e os meios utilizados para alcançá-lo devem servir para fazer aumentar o bem-estar das comunidades humanas e proteger os sistemas ecológicos da Terra.

As Ciências da Terra estão obtendo uma compreensão cada vez mais clara dos limites ecológicos enfrentados pela humanidade. Nos últimos dez mil anos, o clima e outras condições ambientais foram mantidos em um equilíbrio propício ao desenvolvimento humano e das civilizações. A biosfera da Terra propiciou os recursos naturais e os serviços ecossistêmicos necessários para a criação de assentamentos estáveis, o surgimento da agricultura, bem como a construção de cidades, o que levou a uma sociedade global interconectada. Alguns ecossistemas locais foram destruídos pela atividade humana, mas a biosfera como um todo provou ser resiliente. A industrialização, a explosão demográfica e a globalização mudaram isso. A humanidade entrou em uma nova era geológica, o Antropoceno, um momento em que a natureza e a escala da atividade humana tornaram a espécie humana uma força dominante capaz de moldar as operações da biosfera.[59] Pessoas e sistemas socioeconômicos são parte da natureza e já adquiriram a capacidade de alterar e destruir as condições ambientais globais que sustentavam a comunidade da vida e o desenvolvimento humano. Além disso, há evidências científicas de que a população humana está consumindo recursos naturais da Terra a uma velocidade insustentável e degradando gravemente serviços ecossistêmicos essenciais à vida.

Duas iniciativas científicas são especialmente úteis para explicar até que ponto o crescimento econômico está pressionando os sistemas de suporte à vida no planeta. A análise da Pegada Ecológica estima a demanda que uma determinada população está colocando sobre os ecossistemas para produzir os recursos renováveis que ela consome e para assimilar os seus resíduos. Essa Pegada Ecológica é então comparada com a capacidade real dos ecossistemas relevantes. "Se os cálculos da Pegada Ecológica forem relativamente precisos, a humanidade está consumindo a capacidade ecológica de 1,5 Terras", afirma o Worldwatch Institute em seu relatório *Estado do Mundo 2013*.[60]

Uma equipe de cientistas ambientais também está no processo de identificar e desenvolver medidas quantitativas para nove limites planetários que definem os limiares ou pontos de ruptura biofísicos, que, se transgredidos, poderiam precipitar mudanças de larga escala irreversíveis no ambiente, colocando a segurança e a prosperidade humanas em risco. Reconhecendo a incerteza que envolve tentativas de definir esses limites precisamente, os cientistas identificaram zonas de perigo e de alto risco. Desses nove limites planetários, estudos recentes concluem que quatro com toda a probabilidade já foram ultrapassados. Esses quatro envolvem a perda da integridade da biosfera, a interferência nos ciclos de nitrogênio e fósforo, as emissões de gases de efeito estufa e a mudança do sistema terrestre, afetando a cobertura florestal.[61] Em relação a dois desses limites, os cientistas estimam que a humanidade entrou em zonas de alto risco. O perigo de ultrapassarmos um quinto limite, relacionado ao esgotamento do ozônio estratosférico, foi evitado graças à cooperação internacional proporcionada pelo Protocolo de Montreal, o que demonstra que os acordos internacionais podem ser eficazes quando existe vontade política para assegurar sua aplicação. Há muitos exemplos no mundo inteiro de iniciativas importantes destinadas a reverter a degradação do meio ambiente, mas, em sua maior parte, as tendências dominantes são motivo de alarme.

Na Parte II, em "Integridade Ecológica", os Princípios 5, 6, 7 e 8 estabelecem as diretrizes essenciais para proteger e restaurar os sistemas ecológicos da Terra, dos quais a grande comunidade da vida e da civilização humana são dependentes. Incluem-se o princípio da prevenção de danos, que tem sido considerado a regra de ouro da conservação do meio ambiente, o princípio da precaução e do poluidor pagador (Princípios 6, 6.a e 6.b). O Princípio 7 fornece uma definição geral do significado do desenvolvimento sustentável: "Adotar padrões de produção, consumo e reprodução que protejam as capacidades regenerativas da Terra, os direitos humanos e o bem-estar comunitário". A sustentabilidade está relacionada à visão de longo prazo, às necessidades das gerações futuras e à descoberta de formas criativas para buscar um desenvolvimento econômico que respeite limites, evite danos e salvaguarde o que é precioso e benéfico à vida. O Princípio 6.d, sobre a poluição, adverte que não deve haver "aumento de substâncias radioativas, tóxicas ou outras substâncias perigosas" ao meio ambiente, tais como níveis perigosos de gases de efeito estufa; e o Princípio 7.b incentiva a eficiência energética e uma transição para fontes de energia renováveis.

O Princípio 10, que sucede o princípio sobre a erradicação da pobreza, é projetado para enfatizar que o bom funcionamento de "atividades e instituições econômicas" consiste em "promover o desenvolvimento humano de forma equitativa e sustentável". Como foi observado no debate anterior sobre a igualdade, a Carta da Terra associa o desenvolvimento humano com a realização do pleno potencial humano de todos os cidadãos, o que inclui crescimento intelectual, moral e espiritual;

uma relação correta e a construção de um mundo justo, sustentável e pacífico. A Carta da Terra enfoca a qualidade de vida e o bem-estar. O desenvolvimento econômico é necessário para criar os produtos e serviços que tornam possível o desenvolvimento humano e atendem às necessidades materiais de uma comunidade humana em franco desenvolvimento. Uma ordem econômica democrática confiável apoiará a iniciativa privada e a livre-iniciativa, mas o sistema econômico será organizado e regulado de tal forma que contribua para o objetivo global de desenvolvimento humano, em vez de entrar em conflito com ele. Respeito pelos direitos humanos, bem como pela integridade ecológica da Terra, é essencial.

O adjetivo "equitativo" no Princípio 10 significa justo e inclusivo. Em uma economia de mercado, ter lucro é um objetivo necessário para qualquer empresa. No entanto, a forma pela qual se buscam esses objetivos econômicos deve ser regida por políticas e regulamentações que garantam que o sistema seja justo e promova a igualdade de oportunidades. A Carta da Terra clama por um sistema econômico capaz de criar oportunidades e empregos que tornem possível para todas as pessoas "um meio de subsistência significativo e seguro, que seja ecologicamente responsável" (Princípio 3.b). Nesse sentido, o trabalho com significado é essencial para o desenvolvimento humano, pois fornece uma grande oportunidade para o aprendizado e o crescimento contínuos. Ele desenvolve e utiliza as capacidades e a criatividade da pessoa, amplia os relacionamentos e constrói o caráter, incluindo a autodisciplina, o senso prático e a responsabilidade. Promove as habilidades necessárias para a cooperação produtiva com outras pessoas em um empreendimento em comum. Estar em posição de contribuir para a vida de uma comunidade aprofunda o senso de pertencimento e o de significado e propósito de uma pessoa. "Ao lado da família, é o trabalho e as relações estabelecidas pelo trabalho que são os verdadeiros fundamentos da sociedade", escreve E. F. Schumacher em *Small is Beautiful: Economics as If People Mattered.*[62] Uma sociedade congruente com o Princípio 10 não permitiria operações que envolvessem a exploração de trabalhadores e um trabalho desmoralizante ou que exerça um impacto negativo sobre o bem-estar das comunidades locais.

Fundamental para essa visão de uma ordem econômica justa é o Princípio 10.a: "Promover a distribuição equitativa da riqueza dentro das e entre as nações". A justiça econômica requer uma distribuição equitativa da riqueza. Se o Princípio 10.a tivesse sido elaborado em 2015, a expressão "a redução da desigualdade econômica" poderia muito bem ter sido acrescentada para dar mais ênfase. Para resumir o que foi discutido, o conceito da Carta da Terra de promover uma distribuição equitativa da riqueza envolve a redução da desigualdade econômica por meio da erradicação da pobreza, proporcionando acesso universal à educação e aos cuidados com a saúde, promovendo a igualdade de gênero, dando especial atenção aos direitos dos povos indígenas e das minorias, apoiando a juventude e capacitando "cada ser humano com educação e recursos para assegurar uma subsistência sustentável", levando à criação de uma classe média vibrante e em expansão (ver Princípios 3.b, 9, 9.b, 11, 12.c, 14 e 14.a). Isso também significa proporcionar "seguro social e segurança coletiva para aqueles que são incapazes de manter-se por conta própria" (Princípio 9.b). Os governos têm a responsabilidade de fazer avançar todos esses objetivos na medida da sua capacidade. Vale ressaltar que os ODS da ONU não incluem "a distribuição equitativa da riqueza dentro e entre as nações", mas vários ODS, como a promoção de "emprego pleno e produtivo e trabalho digno para todos" e reduzir a "desigualdade dentro e entre nações", ajudam a promover uma distribuição mais equitativa da riqueza.

A Carta da Terra nos exorta a "distribuir os recursos nacionais e internacionais requeridos" para erradicar a pobreza e capacitar cada indivíduo com "educação e recursos" para assegurar uma subsistência significativa, mas não faz uma referência explícita à redistribuição da riqueza. Determinou-se que o apelo para "a distribuição equitativa da riqueza" já defende essa ideia sem o uso da linguagem que poderia levar os críticos, incluindo alguns governos, a rejeitar a Carta da Terra, com a justificativa de que ela apoia o socialismo. Não há nada na Carta da Terra, porém, que se oponha ao tipo de redistribuição da riqueza que ocorreu em muitas democracias, ao longo do século passado, com o desenvolvimento do Estado de bem-estar social. Além disso, existe um argumento forte a favor da ideia de que, em uma sociedade com níveis muito elevados de desigualdade econômica, a única forma de se conseguir uma distribuição equitativa da riqueza coerente com a visão da Carta da Terra de justiça social e econômica é adotar estratégias que produzam redistribuição de riqueza suficiente para educar melhor e formar a população, proporcionar o acesso universal aos cuidados com a saúde, criar empregos, aumentar salários, melhorar a infraestrutura, evitar um desastre ambiental e atender às necessidades dos desempregados, desfavorecidos e pobres. No esforço para reduzir a desigualdade econômica, nada é mais importante do que os investimentos em educação e formação do capital humano. O objetivo não é empreender um processo de nivelamento, mas manter uma desigualdade econômica em que 10 por cento da população detém 70 a 85 por cento da riqueza de uma nação e fica com 50 por cento da renda nacional é moralmente indefensável e social e economicamente insustentável.

No que diz respeito ao abismo entre os países mais ricos e os mais pobres, o Princípio 10.b incentiva uma redistribuição da riqueza nas seguintes linhas: "Incrementar os recursos intelectuais, financeiros, técnicos e sociais das nações em desenvolvimento e isentá-las de dívidas internacionais onerosas". O Princípio 10.c faz um apelo por transações comerciais que deem margem a "normas trabalhistas progressistas". O Princípio 10.d afirma que corporações multinacionais e organizações financeiras internacionais têm a responsabilidade de servir ao "bem comum" e devem ser consideradas "responsáveis pelas consequências de suas atividades".

A redução da desigualdade econômica exige reforma econômica, e a reforma econômica exige um sistema político saudável, forte, democrático. A Carta da Terra defende a revitalização da governança democrática local, nacional e internacionalmente. Na Parte IV, "Democracia, Não Violência e Paz", o primeiro princípio, o Princípio 13, trata dessa preocupação: "Fortalecer as instituições democráticas em todos os níveis e proporcionar-lhes transparência e prestação de contas no exercício do governo, participação inclusiva e acesso à justiça". Os subprincípios do Princípio 13 enfatizam a necessidade urgente de eliminar a corrupção no governo e assegurar "a participação significativa de todos os indivíduos na tomada de decisões" (ver Princípios e 13.b 13.c). A implementação de diretrizes como essas é essencial para que os esforços para reformar a democracia representativa e controlar a influência de interesses especiais monetários na tomada de decisão do governo sejam bem-sucedidos.

A visão da Carta da Terra de justiça social e econômica, incluindo o apelo para a distribuição equitativa da riqueza, foi influenciada pelas conquistas do Estado de bem-estar social moderno. No entanto, não era o propósito da Comissão da Carta da Terra apresentar recomendações detalhadas sobre a política fiscal e outros mecanismos para realizar os ideais sociais e econômicos estabelecidos em seus princípios. Além do mais, diferentes culturas e nações adotam diferentes abordagens sobre a melhor forma de realizar esses ideais. A finalidade da Carta da Terra é apresentar uma visão ampla e integrada de um ideal realista, que pode ser usada para estruturar o debate, estabelecer metas e inspirar a ação, conduzindo à transformação social, incluindo a reforma política e a reestruturação econômica.

6. Um Mundo Alicerçado nas Visões de Igualdade e Sustentabilidade

A Carta da Terra e os ODS da ONU são moldados por visões integradas de um mundo alicerçado nos princípios de justiça para todos e sustentabilidade ecológica. Os valores do respeito pela dignidade humana, liberdade, igualdade e direitos humanos modelaram profundamente a visão contemporânea de justiça e confrontou a civilização com o desafio de erradicar a pobreza e proporcionar oportunidades para todos. Além disso, é agora evidente que o sonho de um mundo justo e o ideal de sustentabilidade são interdependentes. Todas as pessoas têm direito a um ambiente favorável à sua saúde e bem-estar, e os pobres sofrem mais com a poluição e a degradação do ecossistema. Além disso, em sua luta pela sobrevivência, aqueles que vivem na pobreza podem se ver forçados a adotar práticas que contribuem para a deterioração do meio ambiente. O compromisso com a meta de conservação ambiental a longo prazo e com as necessidades das gerações futuras envolve um compromisso com a meta do desenvolvimento humano, inclusive para as atuais gerações. Acabar com a pobreza e proteger o meio ambiente exigem, ambos, reformas econômicas inovadoras.

A seção final da Carta da Terra, "O Caminho Adiante", afirma: "A vida muitas vezes envolve tensões entre valores importantes. Isso pode significar escolhas difíceis". Nossas reflexões sobre a desigualdade econômica e a Carta da Terra seriam incompletas se não levássemos em consideração a tensão entre o imperativo de erradicar a pobreza no mundo em desenvolvimento o mais rapidamente possível e a necessidade urgente de adotar padrões ecologicamente sustentáveis de produção e consumo, que respeitem os limites planetários. Essa tensão apresenta à comunidade internacional desafios éticos, financeiros e políticos complexos, que só vão se tornar mais prementes com o passar do tempo, enquanto o mundo empreende esforços para encontrar um caminho para um futuro ecologicamente sustentável, que também seja justo e equitativo. As atuais negociações internacionais para se chegar a um acordo com relação às mudanças climáticas no âmbito da Convenção-Quadro das Nações Unidas sobre a Mudança do Clima (UNFCCC, do original em inglês United Nations Framework Convention on Climate Change) são um excelente exemplo das considerações éticas e práticas em causa.

Em muitas partes do mundo, a degradação ambiental contribui para a pobreza e a sua disseminação. No entanto, a eliminação gradual dos combustíveis fósseis e a adoção de um modo de vida sustentável envolvem restrições à atividade econômica que tornam mais difícil a curto prazo, para os países em desenvolvimento, gerar o crescimento necessário para erradicar a pobreza. Com essa preocupação em mente, os líderes dos países em desenvolvimento salientam que as nações desenvolvidas foram os principais contribuintes no passado para a degradação do meio ambiente e têm colhido os benefícios da industrialização e da queima de combustíveis fósseis. Sua Pegada Ecológica *per capita* é cerca de cinco vezes maior do que a da maioria das outras nações.[63] Um argumento razoável é o de que as nações desenvolvidas, por esse motivo, têm a obrigação moral de iniciar a transição para a sustentabilidade, fazendo grandes reduções nas emissões de carbono, a fim de permitir às nações em desenvolvimento oportunidade para fortalecer as suas economias, com a utilização de combustíveis fósseis quando necessário.

Essa abordagem foi plenamente desenvolvida pelos defensores do método da Contração e Convergência, segundo os quais "todo ser humano tem direitos iguais aos serviços ambientais prestados pelos bens comuns globais, neste caso, a capacidade de absorção de carbono do sistema Terra".[64] A contração envolve a redução progressiva das emissões de carbono, liderada inicialmente pelas nações de alto consumo. Quando as nações de baixa renda se industrializarem, ocorrerá um equilíbrio mais justo em emissões *per capita* – a convergência. No entanto, em vista do rápido crescimento das economias no mundo em desenvolvimento, não será possível evitar que o aquecimento global atinja níveis perigosos sem a sua plena cooperação. Portanto, a teoria da Contração e Convergência afirma que, com a convergência, os países em desenvolvimento, com o apoio financeiro e tecnológico do mundo desenvolvido, deverão cooperar para reduzir as emissões e fazer a transição para a sustentabilidade. O objetivo é estabilizar globalmente as emissões de carbono em níveis seguros o mais rapidamente possível dentro deste século, e fazer isso de uma forma equitativa. Além disso, em nome da justiça climática, existe o forte argumento de que os países industrializados têm a responsabilidade de fornecer às nações mais pobres, que contribuíram muito menos para causar o aquecimento global e são as mais vulneráveis aos seus impactos, os recursos necessários para que possam se adaptar às alterações climáticas. A elaboração de estratégias globais que sejam justas e ao mesmo tempo práticas, para a diminuição das alterações climáticas e adaptação a elas, enfrenta muitos obstáculos financeiros e políticos, mas o esforço para atingir a equidade é essencial para alcançarmos um acordo efetivo que inspire compromisso e cooperação.

As negociações da UNFCCC são apenas um prelúdio para uma conversa mais complexa e difícil que a família humana deve ter sobre o desenvolvimento sustentável, a pobreza, a igualdade de direitos e a justiça econômica, numa época em que a comunidade internacional tem de enfrentar a realidade dos limites planetários. Como se demonstrou na Rio+20, os governos continuam a acreditar no crescimento econômico contínuo como a resposta para a erradicação da pobreza e da desigualdade econômica. Líderes confiam que a inovação tecnológica e as mudanças políticas vão tornar mais "verde" uma economia em constante expansão, dissociando o crescimento econômico das emissões de carbono e outros impactos ambientais prejudiciais. O ODS nº 8, por exemplo, é um apelo para "promover o crescimento econômico sustentado, inclusivo e sustentável".

Que o crescimento econômico é necessário para erradicar a pobreza é inegável. No entanto, um número crescente de cientistas e economistas está profundamente cético quanto à ideia de que o crescimento econômico e o consumo de bens materiais podem se expandir indefinidamente.[65] Todos podemos concordar que uma transição para as energias renováveis, uma maior eficiência no uso de energia e materiais, internalizando os custos ecológicos e sociais, e outras medidas dessa ordem são fundamentais para a busca da sustentabilidade e podem alterar dramaticamente os padrões de produção e consumo de maneira positiva. Alguns argumentam que é possível reduzir em 80 por cento a utilização de recursos materiais.[66] A preocupação é que existem até agora limites reais para os recursos e serviços dos ecossistemas da Terra, e não será possível inventar substitutos para os muitos que podem estar perdidos.[67] É uma ilusão pensar que as economias do mundo desenvolvido podem crescer ilimitadamente, os índices de crescimento da população podem continuar a subir em todo o mundo e milhares de milhões de pessoas podem entrar na sociedade de consumo global e adotar estilos de vida ocidentais, sem exceder pontos ecológicos críticos. Dadas as incertezas e os graves riscos que a humanidade enfrenta neste sentido, a escolha mais sábia é adotar a atitude de precaução recomendada na Carta da Terra: "Prevenir o dano como o melhor método de proteção ambiental e (...) Orientar ações para evitar a possibilidade de sérios ou irreversíveis danos ambientais, mesmo quando a informação científica for incompleta ou não conclusiva" (Princípios 6, 6.a) Essa atitude de precaução deveria: "Garantir que a decisão a ser tomada se oriente pelas consequências humanas globais, cumulativas, de longo prazo, indiretas e de longo alcance" (Princípio 6.c).

Em um mundo com limites ecológicos, encontrar o caminho para um futuro ecologicamente sustentável, que também seja justo e equitativo, vai exigir um novo e mais profundo entendimento do que significa bem-estar e uma vida boa. Vai exigir uma nova abertura para perguntar o que significa uma relação correta em um mundo interdependente, com pobreza e desigualdade disseminadas. Vai exigir um diálogo internacional para se investigar as implicações dos princípios de igualdade e direitos humanos universais para o consumo *per capita* de recursos naturais, bem como para as emissões *per capita* de gases com efeito estufa, em um mundo onde as emissões e o consumo devem ser monitorados e regulamentados. Será que as nações de alto consumo e as comunidades de alta renda no mundo em desenvolvimento – principalmente os 10 por cento mais ricos da população mundial – estão dispostas a adotar como diretriz a antiga sabedoria da moderação e reduzir o consumo de recursos, de modo a garantir que aqueles que vivem em privação e as gerações futuras tenham acesso a um padrão de vida decente? Será que a família humana fará os ajustes necessários para cuidar da comunidade de vida como um todo, garantindo o espaço ecológico necessário para deter a extinção crescente de outras espécies? A construção de uma ordem mundial sustentável e equitativa no século 21 envolve o cultivo de uma nova consciência segundo a qual, nas palavras do Preâmbulo da Carta da Terra, "nós somos uma família humana e uma comunidade terrestre com um destino comum". Isso implicará uma nova disposição para desenvolver uma verdadeira parceria global e compartilhar os recursos finitos da Terra e os benefícios do desenvolvimento. Os desafios econômicos e políticos são formidáveis, mas esse é o único caminho seguro para o desenvolvimento da comunidade e da paz mundial, à medida que a humanidade se esforça para viver em harmonia com a natureza.

Os ODS da ONU irão fornecer pelos próximos quinze anos, o arcabouço político internacional para reduzir a desigualdade, acabar com a pobreza, promover o desenvolvimento humano e proteger o meio ambiente. O acordo governamental com relação aos ODS reflete um avanço significativo nas deliberações internacionais sobre essas questões decisivas. Pretende-se que os esforços para implementar essas metas sejam um catalisador para o diálogo internacional mais profundo que será necessário. Nesse contexto, a relação entre os ODS e a Carta da Terra exige mais esclarecimentos.

Os ODS são resultado de um amplo e inclusivo processo de consulta envolvendo a sociedade civil, inclusive os defensores da Carta da Terra e os governos. Eles estabeleceram uma compreensão integrada dos desafios econômicos, sociais e ambientais que a humanidade enfrenta no século 21, que é um pré-requisito para a transição para o desenvolvimento sustentável. Os primeiros onze dos dezessete ODS abordam uma ampla gama de desafios sociais e econômicos. Cinco desses primeiros objetivos fazem uma referência explícita à necessidade de sustentabilidade. Além disso, os Objetivos 12, 13, 14 e 15 recomendam a produção e o consumo sustentáveis e a proteção e restauração dos ecossistemas da Terra, incluindo a luta contra as alterações climáticas. O Objetivo 16 é sobre a paz, sociedades inclusivas, instituições responsáveis e acesso à justiça. O Objetivo 17 é um apelo para a revitalização da parceria global para o desenvolvimento sustentável.

Embora os dezessete ODS sejam apresentados como objetivos em vez de princípios éticos, o estilo literário usado para indicar cada ODS é idêntico ao utilizado para articular os dezesseis princípios da Carta da Terra. Cada ODS começa com um verbo e é formulado como uma exortação urgente à ação. Em alguns casos, o texto é bastante semelhante. A visão da Carta da Terra é mais abrangente e alguns dos ODS têm um foco diferente, mas em geral os ODS estão de acordo com os princípios da Carta da Terra. Do ponto de vista da Carta da Terra, o acordo internacional sobre os ODS deve ser visto como um grande passo à frente. Existem, no entanto, algumas diferenças significativas entre a Carta da Terra e a Agenda de Desenvolvimento Sustentável Pós-2015 da ONU, tal como descrito pelo Secretário-Geral no seu Relatório de Síntese. Além disso, a necessidade urgente pela Carta da Terra em 2015 é maior do que nunca.

No Relatório de Síntese do Secretário-Geral, a Agenda Pós-2015 é descrita como sendo "desenvolvida com base nos princípios dos direitos humanos e do Estado de direito, igualdade e sustentabilidade". É apresentada como "uma agenda universal", envolvendo "responsabilidades partilhadas para um futuro partilhado" e exige "um sentido de bem comum global".[68] No entanto, em nenhuma parte do relatório se afirma explicitamente que esses princípios e responsabilidades partilhadas sejam uma parte de uma nova *ética* global nem se definem as responsabilidades *morais* fundamentais. Essa linguagem é cuidadosamente evitada. Isso muito provavelmente reflete conjecturas políticas e a preocupação de evitar controvérsias com vários grupos religiosos, embora envolva uma estratégia questionável.

Os valores éticos definem o que um povo considera certo e errado, bem e mal em seus relacionamentos. Valores morais compartilhados criam uma comunidade e são os alicerces sobre os quais os sistemas jurídicos são construídos. A legislação dos direitos humanos é desenvolvida com base em um valor moral básico: o respeito pela dignidade de cada pessoa. Leis que não estejam de acordo com a perspectiva moral de uma comunidade são muito difíceis de aplicar. Os movimentos em prol de mudanças sociais ganham amplo apoio da população quando ela se convence de que eles têm um elevado padrão moral. A ausência de engajamento moral dá suporte à falta de vontade política que é muitas vezes apontada como uma razão para que os governos não busquem cumprir com vigor a agenda de desenvolvimento sustentável. Em suma, a construção de uma comunidade mundial justa, sustentável e pacífica exige um fundamento ético. A Carta da Terra reconhece explicitamente essa necessidade básica, e seus princípios apresentam a visão inclusiva de valores éticos amplamente apoiados pela sociedade civil global. A implementação dos ODS exige o tipo de dedicação incondicional só possível quando se tem um profundo compromisso moral. Os ODS devem ser compreendidos e apresentados como a expressão de ideais éticos fundamentais amplamente compartilhados, que podem unir todos os povos em um grande esforço comum. Isso está implícito no Relatório de Síntese do Secretário-Geral, mas precisa ser explicitado.

O que diferencia ainda mais a Carta da Terra da Agenda Pós-2015 das Nações Unidas e dos ODS é a ênfase da Carta no respeito pela natureza como um princípio ético fundamental para a construção de um mundo sustentável. A esse respeito, a organização do material da Carta da Terra é diferente do que se encontra nos ODS. A Carta da Terra coloca seus princípios sobre o respeito pela natureza e pela integridade ecológica em primeiro lugar. Os ODS começam com a agenda social e econômica. A ordem dos princípios da Carta da Terra reflete o reconhecimento de que a humanidade é um membro interdependente da grande comunidade da vida, as pessoas são dependentes dos sistemas que apoiam a vida na Terra, e a economia humana é um subsistema do ecossistema planetário. O relatório do Secretário-Geral da ONU afirma que "o desafio que define a nossa época" é o inabalável compromisso com o ideal de respeito pela dignidade de todos e o princípio da igualdade. Do ponto de vista da Carta da Terra, o desafio é duplo e inclui o compromisso de "respeitar a Terra e toda a vida". O Secretário-Geral clama por "uma agenda centrada nas pessoas e sensível ao planeta" e descreve os ODS como "uma mudança de paradigma para as pessoas e o planeta". Ele enfatiza a necessidade urgente de "proteger nossos ecossistemas para todas as sociedades e para as nossas crianças".[69] No entanto, não chega a fazer um apelo por uma ética de respeito pela Terra e pela grande comunidade da vida.

Aldo Leopold descreve de forma simples e clara o ponto crítico, em seu ensaio "The Land Ethic" (1949):

> A ética da terra altera papel do *Homo sapiens*, fazendo-o passar de conquistador da comunidade da terra para a posição de simples membro e cidadão dela. Implica o respeito pelos outros membros, seus companheiros, e também respeito pela comunidade enquanto tal.[70]

É essa transformação da consciência que a Agenda do Desenvolvimento Sustentável Pós-2015 não esclarece ou endossa. Ela não reconhece o valor intrínseco de todas as formas de vida nem afirma que elas são dignas de consideração moral, independentemente do seu valor instrumental para as pessoas. Ela não descreve a biodiversidade do planeta como uma comunidade de vida. Como o sexismo e o racismo, o antropocentrismo é uma ilusão que indica uma perigosa forma de arrogância. A menos que a humanidade mude a sua atitude para com o planeta e outras formas de vida nos aspectos básicos descritos por Leopold, é difícil imaginar sociedades empreendendo as mudanças difíceis e de longo alcance necessárias para alcançar a sustentabilidade e o fim da pobreza.

Nas últimas quatro décadas, a ONU teve uma relação ambivalente com o princípio do respeito pela natureza. Em 1982, a Assembleia Geral da ONU adotou a Carta Mundial da

Natureza, que reconhece que toda forma de vida tem valor, independentemente de seu valor para as pessoas, e também afirma o respeito pela natureza em seu primeiro princípio. No entanto, ao longo da década seguinte, os governos retiraram o seu apoio ativo à Carta Mundial da Natureza. Nas suas declarações e relatórios, a Cúpula da Terra Rio-92 não faz referência nem à Carta Mundial da Natureza nem ao princípio do respeito pela natureza. A Carta da Terra, que foi elaborada nos anos imediatamente posteriores à Cúpula, procura voltar a focar a atenção no respeito pela natureza, como algo absolutamente fundamental para o conceito de um modo de vida sustentável. A Declaração do Milênio das Nações Unidas, emitida quatro meses após o lançamento da Carta da Terra, reconhece o respeito pela natureza como um valor fundamental, mas fornece uma explicação exclusivamente antropocêntrica para o princípio. A Declaração de Johanesburgo de 2002, lançada na Rio+10, usa a linguagem da Carta da Terra e afirma que "devemos declarar nossa responsabilidade uns com os outros, com a grande comunidade da vida e com os nossos filhos", mas não afirma de outra forma o respeito pela natureza. A Agenda do Desenvolvimento Sustentável Pós-2015 não se pronuncia sobre o respeito pela natureza e a responsabilidade da humanidade "diante da", bem como "pela" grande comunidade da vida. Em suma, há uma peça faltando no pensamento e planejamento estratégico referente aos ODS. A Carta da Terra fornece a visão ética inclusiva e lógica necessária para apoiar e inspirar a ação no que se refere aos ODS.

Alguns filósofos e ambientalistas têm se esforçado para promover o princípio do respeito pela natureza, apoiando o conceito dos direitos da natureza. Essa abordagem pode ser uma maneira muito eficaz de explicar e esclarecer questões morais envolvendo relacionamentos humanos com outras espécies e ecossistemas. Alguns filósofos e juristas propõem que a legislação ambiental nacional e internacional adote a linguagem dos direitos da natureza.[71] Nesse sentido, a Declaração Universal dos Direitos da Mãe Terra (2010), que está sendo distribuída pelo governo da Bolívia e a Aliança Global para os Direitos da Natureza, apresenta um exemplo engenhosamente elaborado de como isso pode ser feito. Mesmo sem apoiar o uso legal da linguagem de direitos em relação a espécies não humanas, este documento é um instrumento educacional poderoso no apoio à ética do respeito e do cuidado pela grande comunidade da vida.

Durante o processo de elaboração da Carta da Terra, houve um amplo debate sobre se a Carta deveria fazer referência aos direitos da natureza. A Comissão da Carta da Terra e o Comitê de Redação finalmente decidiram não fazer essa referência porque não havia um amplo apoio para isso no momento. No entanto, a Carta da Terra é muito clara em seu apoio ao princípio de respeito à Terra e a toda a vida, o que propicia o fundamento ético para o conceito dos direitos da natureza. Além disso, não há nada na Carta da Terra que se oponha ao conceito de direitos da natureza. Vários estudiosos e ativistas apoiam tanto a Carta da Terra quanto a Declaração Universal dos Direitos da Mãe Terra. Em geral, os sistemas jurídicos do mundo enfatizam a responsabilidade humana de proteger o meio ambiente e outras espécies, em vez de focar os direitos da natureza. Os sistemas jurídicos podem, é claro, fazer as duas coisas. No entanto, assegurar o reconhecimento e apoio forte e claro ao princípio do respeito pela natureza nas Nações Unidas e em nível nacional deve ser a primeira prioridade. Argumentos a favor dos direitos da natureza como conceito filosófico podem e devem ser usados para alcançar esse objetivo.

7. Conclusão

Este ensaio abordou as dimensões econômicas, políticas, ecológicas, morais e espirituais decisivas dos problemas complexos e inter-relacionados que enfrentam as sociedades democráticas e a comunidade global. Ele também considerou importantes os esforços internacionais para identificar e articular os valores éticos e os objetivos estratégicos necessários para nortear o caminho a seguir, com especial referência à Carta da Terra e os ODS da ONU. A implementação dos princípios éticos da Carta da Terra requer que se estabeleçam objetivos, metas e calendários, como os encontrados nos ODS, e as ações no que diz respeito aos ODS exigem o tipo de arcabouço moral e compromisso exortados na Carta da Terra. Essas duas iniciativas se complementam e são uma fonte de esperança. No entanto, para ser verdadeiramente eficazes, devem estar unidos e totalmente integrados em todos os setores, e isso ainda é algo a se fazer.

Em relação à atual situação econômica e a crise ambiental, este ensaio apresentou o seguinte argumento. O que mantém uma sociedade democrática coesa é um firme compromisso com a liberdade, a igualdade e os direitos humanos, e a confiança de que os governos eleitos podem gerir economias de mercado de modo a proporcionar uma prosperidade amplamente partilhada, que sustente uma grande expansão da classe média e apoie os mais desfavorecidos. O ideal é uma sociedade verdadeiramente inclusiva e justa. A persistência da pobreza e a crescente desigualdade econômica no século 21 confrontam os líderes local e globalmente com grandes e complexos desafios morais, bem como políticos e econômicos. A revitalização e a reforma das instituições democráticas são necessárias, assim como uma reconstrução da teoria econômica e a promoção de reformas econômicas. A resiliência e a promessa da democracia e de uma economia de mercado estão mais uma vez sendo postas à prova.

Erradicar a pobreza e proporcionar igualdade de oportunidades e segurança social para as gerações presentes e futuras é algo que não pode ser alcançado sem que se aborde também a necessidade urgente de reduzir a Pegada Ecológica humana. O apoio à igualdade e aos direitos humanos e a busca pela sustentabilidade estão agora cada vez mais estreitamente interligados. A inação com relação às alterações climáticas, os padrões de consumo e a restauração ambiental vão fazer a erradicação da pobreza um sonho impossível e podem alterar irreversivelmente as condições na Terra que apoiavam o desenvolvimento humano. Nas próximas décadas, as pessoas vão exigir cada vez mais de seus líderes do governo que eles estabeleçam um curso para um futuro sustentável como algo essencial para a segurança e a prosperidade. A maneira pela qual as democracias do mundo respondem a esses desafios terá consequências de longo alcance para os seus cidadãos e para a forma como a democracia é vista e defendida em todo o mundo. A inação continuada causa grandes riscos.[72]

Além disso, a crescente interdependência ecológica, econômica e social das nações e dos povos do mundo está tornando novos níveis de cooperação internacional um requisito básico. Os governos permitiram por tempo demais que interesses econômicos e políticos de curto prazo obstruíssem a busca pelo bem comum planetário, de longo prazo. Os ODS são um avanço promissor, porque propõem a completa fusão da agenda econômica mundial com a agenda de desenvolvimento sustentável, que integra questões relacionadas à igualdade e aos direitos humanos com um compromisso com a conservação ambiental. As nações individuais podem fazer muito para pôr em prática os ODS localmente. No entanto, para que haja um progresso contínuo nos ODS será preciso desenvolver novos sistemas inovadores e inclusivos de governança global, que façam pela Agenda do Desenvolvimento Sustentável do Século 21 o que as instituições Bretton Woods, por exemplo, fizeram pela reconstrução e desenvolvimento da economia após a Segunda Guerra Mundial.

Com a industrialização, a inovação tecnológica e a globalização econômica, uma civilização global interconectada e multicultural está tomando forma. Esse desenvolvimento, juntamente com os avanços nas ciências da Terra, está produzindo na mente de milhões de pessoas, em diversas culturas ao redor do mundo, uma nova consciência global que envolve o reconhecimento de que a Terra e sua biosfera são um ecossistema inter-relacionado de que a humanidade é uma parte interdependente. Ademais, assim como todas as grandes civilizações do passado produziram uma forma toda própria de consciência espiritual e ética, agora a nova civilização global está gerando uma nova consciência espiritual e ética planetária. No Antropoceno, com os poderes de criação e destruição do ser humano se expandindo drasticamente, o despertar de um senso mais amplo e mais profundo de responsabilidade ética compartilhada deve ser considerado um componente essencial de qualquer estratégia que vise o bem-estar futuro das pessoas e do planeta.

Existe uma grande coerência entre a consciência ética planetária emergente e as grandes tradições espirituais do mundo surgidas no passado. No entanto, a nova ética global reflete a influência da revolução democrática, das novas ciências, incluindo a ecologia e a cosmologia, e das abordagens holísticas para a compreensão do mundo e seus problemas. O resultado é uma ética centrada na Terra e centrada nas pessoas, que vê o cuidado com o planeta e o cuidado com as pessoas como dois aspectos inter-relacionados de uma grande tarefa. Cada uma das religiões do mundo enfrenta o desafio de dar expressão a essa nova ética global de um jeito próprio, coerente com suas melhores tradições. No decorrer do século passado, o terreno intelectual para esse desenvolvimento foi preparado por teólogos e filósofos religiosos, e o crescente apoio dos líderes religiosos é um sinal auspicioso.[73]

É a consciência global e a ética planetária emergentes que encontram articulação nas declarações da sociedade intergovernamentais e civis, como a Declaração Universal dos Direitos Humanos (1948), a Carta Mundial da Natureza (1982) e a Carta da Terra (2000), que integram a visão social transmitida na Declaração Universal com a visão ecológica da Carta Mundial. Os ideais e valores partilhados nessas declarações são parte da fé comum necessária para inspirar, unir e orientar a comunidade mundial em sua jornada em direção a um futuro mais justo, sustentável e pacífico, que honre e celebre a sacralidade da vida.

Posfácio

Neste momento crítico na história da vida na Terra, o que aumentaria a consciência e o entendimento da necessidade de valores morais universais e da visão ética da Carta da Terra? O apoio das religiões do mundo poderia ter um profundo impacto positivo nesse sentido, especialmente se os líderes religiosos mundiais unissem forças e atuassem de forma colaborativa nesse esforço. O apoio a uma ética global e uma grande transição para um modo de vida justo e sustentável estão progredindo entre os líderes e organizações religiosas, que em grande parte endossaram a Carta da Terra.

Há mais de quatro décadas, os estudiosos da religião e do movimento ecológico estudam exaustivamente cada uma das grandes religiões do mundo e apontam os textos sagrados e ensinamentos autorizados que corroboram o respeito pela natureza e os que são problemáticos do ponto de vista ambiental. Filósofos e teólogos desse movimento também produziram interpretações contemporâneas inspiradoras do budismo, do cristianismo, do confucionismo, do taoismo, do judaísmo, do hinduísmo, do islamismo e das tradições espirituais dos povos indígenas, demonstrando as muitas maneiras pelas quais essas tradições podem promover uma ética de conservação do meio ambiente e vida sustentável, bem como os direitos humanos universais e a paz mundial. Numerosas conferências, incluindo diálogos inter-religiosos, foram realizadas e centenas de livros e ensaios têm sido publicados sobre o assunto. Dirigentes de instituições religiosas, como o líder tibetano Dalai Lama e o Patriarca Ecumênico Bartolomeu, líder da Igreja Ortodoxa Oriental, têm sido sinceros em seu apoio a esse esforço, embora também esteja ocorrendo forte resistência para integrar a ética ambiental e a ecoteologia à corrente de pensamento e da prática religiosa tradicionais. No entanto, a maré parece estar virando agora, à medida que o diálogo entre religião e ciência se aprofunda e as questões ambientais globais, como as alterações climáticas, são mais bem compreendidas pelo público.

Uma indicação dessa mudança – e que representa um avanço especialmente promissor – é a Carta Encíclica do Papa Francisco, *Laudato Si': Sobre o Cuidado da Casa Comum*, publicada em junho de 2015. O Papa, que identifica São Francisco de Assis como "o meu guia e inspiração", apresenta em *Laudato Si'* uma crítica moral e espiritual à sociedade moderna, na qual, com clareza e focando em primeiro lugar a crise ambiental, ele faz um apelo por uma mudança social, econômica e política radicais.[74] O significado especial da Encíclica no contexto deste ensaio é o fato de o Papa Francisco oferecer um respaldo teológico e filosófico apaixonado à ética global do respeito e do cuidado pelo planeta e por toda a vida, ideia central da visão ética e espiritual da Carta da Terra. Ele promove uma espiritualidade relacional que afirma a igual dignidade de cada pessoa e o valor intrínseco de todas as formas de vida. Além disso, o Papa Francisco reconhece explicitamente a Carta da Terra e a cita em *Laudato Si'*.[75] Ele também está de pleno acordo com a prioridade dada, na Agenda de Desenvolvimento Sustentável das Nações Unidas, à tarefa de acabar com a pobreza. A Encíclica é dirigida a "todas as pessoas que vivem neste planeta", bem como ao 1,2 bilhão de membros da Igreja Católica Romana.[76] O Papa tornou-se um líder religioso altamente visível e popular, e *Laudato Si'* tem potencial para exercer uma grande influência.

Um objetivo importante do Papa Francisco ao emitir essa nova Encíclica é ajudar a angariar apoio internacional para um acordo efetivo, equitativo e juridicamente vinculativo com respeito às alterações climáticas, que os líderes do governo finalizarão em dezembro de 2015 numa reunião em Paris. Visando preparar o terreno para o lançamento da *Laudato Si'*, a Pontifícia Academia das Ciências fez em abril um simpósio sobre alterações climáticas, com a participação de cientistas, especialistas em desenvolvimento e líderes religiosos corporativos e políticos. A declaração divulgada na Conferência afirma nos termos mais claros possíveis que: "Mudanças climáticas induzidas pelo homem são uma realidade científica, e detê-las é um imperativo moral e religioso para a humanidade".[77] A declaração prossegue afirmando que as religiões do mundo todo têm um papel vital a desempenhar na promoção da sensibilização e do compromisso com relação a esse imperativo moral e espiritual. *Laudato Si'* apoia e desenvolve ainda mais esses pontos de vista.

O principal argumento de *Laudato Si'* é uma variação contemporânea de um tema antigo tratado repetidas vezes ao longo dos séculos pelos profetas, místicos e filósofos, tanto do Oriente quanto do Ocidente. O argumento é o de que, sem discernimento espiritual, fé religiosa, apreciação estética, responsabilidade moral e visão ética, os indivíduos e as comunidades não têm consciência, conhecimento e autodisciplina para gerir com sabedoria a riqueza, o poder, a fama e o prazer, com o resultado de que podem causar, e muitas vezes causam, a si mesmos e aos outros um grande prejuízo e sofrimento. Desenvolvendo esse argumento para englobar uma era de ciência e tecnologia que enfrenta uma crise ambiental com massas de pessoas vivendo mundialmente na pobreza, o Papa Francisco demonstra coerência com a vida e a sabedoria espiritual de São Francisco de Assis, em seu esforço para desafiar a loucura, a injustiça e o comportamento destrutivo de um mundo sob o domínio do que ele intitula paradigma tecnocrático.

O Papa Francisco afirma que "não podemos ter a ilusão de sanar a nossa relação com a natureza e o meio ambiente, sem curar todas as relações humanas fundamentais". Uma abordagem holística é essencial. Ademais, ele argumenta que a crise ambiental e a injustiça social, nomeadamente a pobreza em massa, têm uma fonte comum. Ambas são produto e manifestação da "crise ética, cultural e espiritual da modernidade".[78] Na raiz do problema está a amplamente difundida "noção de que não existem verdades indiscutíveis para guiar nossa vida, pelo que a liberdade humana não tem limites".[79]

Esse ponto de vista está associado à fé na tecnologia e no poder ainda maior de controle que ela põe nas mãos do ser humano, como a principal chave para o progresso. O Papa manifesta o seu grande respeito pela ciência e pelas muitas maneiras pelas quais a tecnologia melhorou a qualidade da vida humana. Ele ressalta, porém, que, quando a linguagem, os métodos e os objetivos da ciência e da tecnologia passam a determinar como as pessoas veem a realidade, a tendência é ver o mundo apenas como uma coleção de objetos a serem estudados, controlados e usados. Tudo é reduzido ao seu valor utilitário e econômico. O fascínio com a tecnologia leva ao "culto ao ilimitado poder humano" e à crença no crescimento econômico ilimitado. A ausência de um arcabouço moral, que respeite o bem comum e estabeleça limites, fomenta um individualismo egocêntrico, um nacionalismo tacanho e um "antropocentrismo desordenado".[80] Um resultado é a devastação dos ecossistemas da Terra. Outro é a incapacidade de partilhar os benefícios do desenvolvimento equitativamente e a crescente desigualdade econômica.

Laudato Si' clama por uma nova ecologia integral que propicie uma compreensão profunda e ampla da realidade e do caminho para um autêntico desenvolvimento humano. "Nenhum ramo das ciências e nenhuma forma de sabedoria pode ser deixada de fora, e isso inclui a sabedoria religiosa com a sua linguagem própria." Em São Francisco, o Papa encontra "o exemplo por excelência do cuidado pelo que é frágil e por uma ecologia integral, vivida com alegria e autenticidade". Ele celebra a compreensão de São Francisco do mundo como criação divina, o seu profundo sentimento de pertencimento ao universo e de fazer parte da natureza, seu encantamento com a beleza da natureza, a sua "recusa em transformar a realidade em um objeto simplesmente para ser usado e controlado", sua abertura a relações Eu-Tu com todos os seres e sua preocupação em "cuidar de tudo o que existe". O Papa conclui que, para tratar o planeta como "nossa irmã, a Mãe Terra", e considerar todas as criaturas como irmãos e irmãs, como fez São Francisco, "essa convicção não pode ser desvalorizada como romantismo irracional, pois influi nas opções que determinam o nosso comportamento". Ele explica ainda:

> Se nos aproximarmos da natureza e do meio ambiente sem esta abertura para a admiração e o encanto, se deixarmos de falar a língua da fraternidade e da beleza na nossa relação com o mundo, então as nossas atitudes serão a do dominador, do consumidor ou de um mero explorador dos recursos naturais, incapaz de impor limites aos seus interesses imediatos. Em contrapartida, se nos sentirmos intimamente unidos a tudo o que existe, então brotarão de modo espontâneo a sobriedade e a solicitude.[82]

O Papa Francisco clama por "uma corajosa revolução cultural", norteada por um despertar espiritual transformador que inspire as pessoas "a crescer na solidariedade, na responsabilidade e no cuidado assente na compaixão".[83] O ideal antevisto em *Laudato Si'* é "harmonia consigo mesmo, com os outros, com a natureza e outras criaturas, e com Deus", levando a "uma comunhão universal" que "não exclui nada nem ninguém". A visão de paz verdadeira da Carta da Terra é muito semelhante. No entanto, da perspectiva da Carta da Terra, um componente que está faltando na visão ecológica do Papa Francisco é um debate sobre a igualdade de gênero como pré-requisito para o desenvolvimento sustentável. Nos capítulos finais da Encíclica, muitas propostas práticas são disponibilizadas para consideração, em um esforço para gerar um diálogo construtivo sobre o caminho a seguir.

Laudato Si' é um excelente exemplo da liderança moral e espiritual sobre as alterações climáticas e o meio ambiente que o mundo precisa das religiões; e como as religiões abarcam a nova consciência planetária, elas serão revitalizadas e adquirirão uma relevância na vida moderna que estavam perdendo em algumas partes do mundo. Atendendo ao apelo do Papa para que se tomem providências com relação às alterações climáticas, muitos líderes religiosos têm respondido com o seu apoio. Por exemplo, 333 rabinos americanos assinaram uma "Carta Rabínica sobre a Crise Climática", um grupo internacional de estudiosos e líderes de ONGs islâmicos emitiu uma "Declaração Islâmica da Mudança Climática Global" e o arcebispo de Canterbury, Justin Welby, líder da Comunhão Anglicana, aliou-se ao Patriarca Bartolomeu ao afirmar o seu apoio a *Laudato Si'*. Que a *Laudato Si'* inspire um número cada vez maior de líderes religiosos ao redor do mundo a se pronunciar em reconhecimento ao cuidado com a nossa casa comum como uma questão moral e espiritual de máxima importância. Esperemos que isso expanda e aprofunde o diálogo inter-religioso, a colaboração entre as religiões e a colaboração entre as religiões e as Nações Unidas. *Laudato Si'*, em conjunto com os ODS, poderia ser o catalisador para um novo reconhecimento generalizado da necessidade vital de uma ética planetária, uma fé moral comum, que oriente a reforma cultural, política e econômica.

De 25 a 27 de setembro de 2015, a Organização das Nações Unidas convocou uma Cúpula sobre o Desenvolvimento Sustentável com a finalidade de fechar um acordo sobre a sua Agenda Pós-2015. O Papa Francisco proferiu o discurso de abertura. No decorrer da Cúpula, os 193 países-membros das Nações Unidas aprovaram por aclamação um documento intitulado "Transformando nosso mundo: a Agenda 2030 para o Desenvolvimento Sustentável", que contém como preâmbulo uma declaração de princípios orientadores e os dezessete ODS, com as suas 169 metas correspondentes. O espírito inspiracional que permeia essa "carta para as pessoas e o planeta do século XXI" está muito bem sintetizado na seguinte declaração:

> Nós decidimos, até 2030, acabar com a pobreza e a fome em todos os lugares; combater as desigualdades dentro e entre os países; construir sociedades pacíficas, justas e inclusivas; proteger os direitos humanos e promover a igualdade de gênero e o empoderamento de mulheres e meninas; e assegurar a proteção duradoura do planeta e de seus recursos naturais. Resolvemos também criar condições para um crescimento sustentável, inclusivo e economicamente sustentado, prosperidade compartilhada e trabalho decente para todos, tendo em conta os diferentes níveis de desenvolvimento e capacidades nacionais.[85]

No final de uma longa introdução aos ODS, acrescentou-se um parágrafo que parece reconhecer a importância da Encíclica do Papa, bem como a visão de mundo de muitos povos indígenas.

> Reconhecemos que existem diferentes abordagens, visões, modelos e ferramentas disponíveis a cada país, de acordo com suas circunstâncias e prioridades nacionais, para alcançar o desenvolvimento sustentável; e reafirmamos que o planeta Terra e seus ecossistemas são a nossa casa comum e que "Mãe Terra" é uma expressão comum em vários países e regiões.[86]

Em um longo parágrafo sobre viver de forma sustentável "em harmonia com a natureza," foi incluído um chamado para "respeitar a biodiversidade" que pode ser interpretado como uma afirmação de que a biodiversidade do planeta não é apenas um recurso natural para o uso humano, e que a grande comunidade da vida tem um valor intrínseco e é, portanto, digna de consideração moral e proteção pelo que é.[87] O texto, no entanto, não elucida essa questão.

A declaração sobre a Agenda 2030 faz uma breve mas significativa referência à necessidade de uma ética global: "Comprometemo-nos a promover a compreensão intercultural, a tolerância, o respeito mútuo e uma ética de cidadania global e de responsabilidade compartilhada".[88] "Transformando Nosso Mundo" é um documento histórico que todos os que afirmam a visão ética integrada expressa na Carta da Terra e na *Laudato Si'* podem entusiasticamente endossar, na medida em que se propõem a fazer avançar o diálogo internacional sobre o que "uma ética de cidadania global e responsabilidade compartilhada" realmente significa neste momento da História e o que ela requer dos governos e das empresas, bem como das comunidades e dos indivíduos. O primeiro teste do compromisso governamental com os ODS será feito em dezembro de 2015, na cúpula sobre alterações climáticas em Paris.

A Carta da Terra apresenta em termos austeros o principal desafio que a humanidade enfrenta no século XXI: "A escolha é nossa: formar uma aliança global para cuidar da Terra e uns dos outros, ou arriscar a nossa destruição e a da diversidade da vida". A Carta conclui com um apelo à ação e a visão de esperança citada pelo Papa Francisco em *Laudato Si'*: "Que o nosso seja um tempo que se recorde pelo despertar de uma nova reverência face à vida, pela firme resolução de alcançar a sustentabilidade, pela intensificação da luta em prol da justiça e da paz e pela jubilosa celebração da vida".

SCR
outubro de 2015

Notas

1. Programa de Desenvolvimento das Nações Unidas, *Relatório do Desenvolvimento Humano 2013 – A Ascensão do Sul: Progresso Humano num Mundo Diversificado*, pp. 12-13, 26. A proporção de pessoas vivendo em extrema pobreza caiu de 43,1 por cento, em 1990, para 22,4 por cento em 2008. Durante esse período, a percentagem de pessoas vivendo em extrema pobreza diminuiu, na China, de 60,2 por cento para 13,1 por cento; na Índia, de 49,4 por cento para 32,7 por cento; e, no Brasil, de 17,2 por cento para 6,1 por cento.
2. Martin Wolf: "Why inequality is such a drag on economies", *Financial Times*, 30 de setembro de 2014, www.ft.com; Al Gore, *The Future: Six Drivers of Global Change* (Nova York: Random House, 2013), p. 34. Para um estudo sobre o modo como a desigualdade prejudica de múltiplas maneiras o bem-estar de uma sociedade, ver Kate E.

Pickett e Richard G. Wilkinson, *The Spirit Level: Why More Equal Societies Almost Always Do Better* (Londres: Allen Lane, 2009).

3. *The Society of Equals*, trad. Arthur Goldhammer (Cambridge, Mass.: Harvard University Press, 2013); *Capital in the Twenty-First Century*, trad. Arthur Goldhammer (Cambridge, Mass.: Harvard University Press, 2014).

4. Piketty, *Capital*, p. 3. Piketty baseia seu estudo histórico da desigualdade de renda sobretudo em registros tributários, a única abordagem possível, e para seu estudo sobre a distribuição de riqueza ele se baseia principalmente nas declarações de patrimônio provenientes de impostos sobre fortunas e heranças. Ele explica que a World Wealth and Income Database (ex-The World Top Income Database) é "a fonte primária das análises e conclusões" do seu livro (*Capital*, pp. 16-19, 581) Os críticos do relato de Piketty sobre a desigualdade de renda nos Estados Unidos desde 1980 argumentam que ele se concentra no lucro e não nos impostos, e suas estatísticas não levam em consideração a remuneração não monetária, como empregados que recebem seguro de saúde e outros benefícios. Ver, por exemplo, Phil Gramm e Michael Solon, "How to Distort Income Inequality", *Wall Street Journal*, 12 de novembro de 2014, p. A15. A análise de Piketty diferencia e explica minuciosamente a desigualdade em relação à renda derivada do trabalho e a desigualdade no que diz respeito à renda do capital, o que propicia uma compreensão das bases da desigualdade de renda. Além disso, ele analisa a desigualdade da posse

do capital. Seu objetivo é comparar a estrutura de desigualdade em diferentes sociedades. Ele também discute o impacto dos impostos e programas do governo sobre a estrutura de desigualdade nas diferentes nações.

5. *Ibid.*, p. 567

6. A "Declaração de Ética Mundial" aprovada pelo Parlamento das Religiões Mundiais, em 1993, cita a Regra de Ouro como o princípio fundamental de toda a ética social. A Declaração afirma que a Regra de Ouro "deveria ser a norma irrevogável e incondicional para todas as áreas da vida, para a família e as comunidades, para as raças, nações e religiões". Ver Hans Küng, org., *Yes to a Global Ethic* (Nova York: Continuum Publishing Company, 1996), p. 17.

7. Rosanvallon, *Society of Equals*, pp. 16-18.

8. Ver "A Different Idea of Our Declaration", resenha de Danielle Allen, *Our Declaration: A Reading of the Declaration of Independence in Defense of Equality*, The New York Review of Books, v. LXI, n. 13, 14 de agosto de 2014, p. 37.

9. Rosanvallon, *Society of Equals*, pp. 10-21.

10. *Ibid.*, pp. 21-26.

11. *Ibid.*, p. 258.

12. "Creative Democracy – The Task Before Us", Jo Ann Boydston, org., *John Dewey: The Later Works*, v. 14: 1939-1941 (Carbodale: Southern Illinois University Press, 1988), pp. 226-227.

13. Rosanvallon, *Society of Equals*, pp. 26-29.

14. *Ibid.*, pp. 10, 34-41.

15. *Ibid.*, p. 35.

16. "Creative Democracy – the Task Before Us", p. 227.

17. John Micklethwait e Adrian Wooldridge, *The Fourth Revolution; The Global Race to Reinvent the State* (Nova York: Penguin Press, 2014), pp. 79, 228.

18. Rosanvallon, *Society of Equals*, pp. 222-228, 260-269; Susan Mendus, "Losing the Faith: Feminism and Democracy", *Democracy, the Unfinished Business*, John Dunn, org. (Oxford: Oxford University Press, 1992), pp. 207-219.

19. Para uma discussão esclarecedora dos problemas associados ao etnocentrismo nos Estados Unidos, ver Arthur M. Schlesinger, Jr., *The Disuniting of America* (Nova York: WW Norton and Company, 1992).

20. *Relatório do Desenvolvimento Humano*, 2013, pp. 29-32.

21. Rosanvallon, *Society of Equals*, pp. 10, 26, 47-48, 51-68, 254, 258; Piketty, *Capital*, pp. 1, 31, 241, 362-63, 422.

22. John Kenneth Galbraith, *The Affluent Society* (Boston: Houghton Mifflin Co., 1958), pp. 24-32.

23. Piketty, *Capital*, pp. 247-249, 261. A desigualdade de riqueza sempre foi significativamente maior do que a desigualdade de renda do trabalho. Ver pp. 244-245.

24. Rosanvallon, *Society of Equals*, pp. 75-87.

25. Piketty, *Capital*, pp. 291-92, 347-48.

26. Rosanvallon, *Society of Equals*, pp. 112-133, 258-259; Piketty, *Capital*, pp. 7-11.

27. Piketty, *Capital*, pp. 260-262, 271, 316-317, 323-324, 346-349. Rosanvallon, *Society of Equals*, pp. 3, 165.

28. Piketty, *Capital*, pp. 260, 291-294, 299-300, 316, 323-324, 347-349.

29. Rosanvallon, *Society of Equals*, pp. 165-203; Piketty, *Capital*, pp. 153, 237, 275, 349, 355, 493-514.

30. Piketty, *Capital*, pp. 499, 503-508.

31. Citado em John Haywood, "Common Sense II", *New York Times*, 21 de setembro de 2014, p. 14.

32. Piketty, *Capital*, pp. 474-79.

33. *Ibid.*, pp. 248-249, 257, 261, 265, 294-296, 315-324. Edward N. Wolff, *Top Heavy: A Study of the Increasing Inequality of Wealth in America* (Nova York: Relatório da Twentieth Century Fund Press, 1995), pp. v-vi; ver também Robert Pear, "Number of Children Living in Poverty Drops Sharply, Census Bureau Reports", *New York Times Nacional*, 17 de setembro de 2014, p. A17. De acordo com o Census Bureau dos Estados Unidos, 19 por cento dos norte-americanos viviam na pobreza em meados dos anos 1960. A taxa de pobreza caiu para 11 por cento em 1970. Em 2013 ela voltou a atingir 14,5 por cento.

34. Al Gore, *The Future*, pp. 4-12, 33-41.

35. Ver "Wealth without Workers, Workers without Wealth" e "Special Report on Technology and the World Economy", *The Economist*, v. 413, 4 de outubro de 2014.

36. Joseph Stiglitz, "In No One We Trust" e "Inequality is Not Inevitable", da série "The Great Divide" (2014), nytimes.

com/opinionator; Paul Krugman, "Our Invisible Rich", *New York Times Op-Ed*, 29 de setembro de 2014, p. A27; Piketty, *Capital*, pp. 297, 315-321; Steven Rattner, "Inequality, Unbelievably, Gets Worse", *New York Times Op-Ed*, 17 de novembro de 2014, p. A25.

37. Os relatórios de 2014 das Nações Unidas sobre a segurança alimentar são resultado da colaboração entre a UNICEF, o Banco Mundial, a Organização para Alimentação e Agricultura, o Programa Alimentar Mundial, o Fundo Internacional de Desenvolvimento Agrícola e outras agências. Ver Rick Gladstone e Somini Sengupta, "Despite Declines, Child Mortality and Hunger Persist in Developing Nations, UN Reports", *New York Times,* 17 de setembro de 2014, p. A8.

38. Piketty, *Capital*, pp. 59, 64, 67.

39. *Relatório do Desenvolvimento Humano*, 2013, pp. 1, 12-13, 23-25.

40. "Now for the Long Term", *Relatório da Comissão Martin Oxford para as Gerações Futuras* (Oxford: Oxford Martin School, 2013), p. 25. Piketty escreve: "A desigualdade global de riqueza no início dos anos 2010 parece comparável em magnitude à observada na Europa em 1900-1910". *Capital*, p. 438.

41. Michail Moatsos *et al.*, "Income Inequality Since 1820", Jan Luiten van Zanden *et al.*, orgs., *How Was Life?: Global Well-being Since 1820* (OCDE Publishing, 2014), pp. 205-210. Os autores desse estudo enfocam a desigualdade de renda mensurada pelo rendimento do agregado familiar

pré-impostos entre os indivíduos dentro de um país, e a desigualdade é descrita pela utilização do coeficiente de Gini.

42. *Relatório do Desenvolvimento Humano*, 2013, pp. 29-30, 32.

43. Piketty, *Capital*, p. 326-330; Moatsos, "Income Inequality Since 1820", p. 206.

44. *Relatório da Comissão Oxford Martin*, p. 25.

45. Piketty, *Capital*, pp. 1, 20, 23-27, 74-77, 84, 222, 234, 350-58, 361, 364, 424.

46. *Ibid.*, pp. 1, 20, 27, 424.

47. Stiglitz, "Inequality Is Not Inevitable", *New York Times*, 29 de junho de 2014. Ver a série de ensaios "The Great Divide", nytimes.com/opinionator. O ensaio de Stiglitz é um ótimo e breve panorama da desigualdade econômica nos Estados Unidos e o que pode ser feito para resolver o problema.

48. *Ibid.*; Al Gore, *The Future*, pp. xxiv-xxvi, 33-35, 116-124, 369-372.

49. Galbraith, *The Affluent Society*, p. 84.

50. *Ibid.*, pp. 85-87.

51. Piketty, *Capital*, pp. 248-249, 257-258, 262-263.

52. A Carta da Terra foi endossada por cerca de seis mil organizações, incluindo o Congresso Mundial de Conservação da União Internacional para a Conservação da Natureza (IUCN) e a UNESCO. Ela não foi, no entanto,

aprovada ou reconhecida pela Assembleia Geral das Nações Unidas, embora isso tenha quase acontecido na Cúpula Mundial de 2002 sobre o Desenvolvimento Sustentável, em Johanesburgo. As Nações Unidas não endossaram formalmente, até a data, um documento que não tenham elaborado. Para obter informações adicionais sobre o processo de elaboração da Carta da Terra, ver Steven C. Rockefeller, "Ecological and Social Responsibility: The Making of the Earth Charter", Barbara Darling-Smith, org., *On Responsibility* (Nova York: Lexington Books, Harper & Rowe, 2007) e Steven C. Rockefeller, "Crafting Principles for the Earth Charter", Peter Blaze Corcoran e A. James Wholpart, orgs., *A Voice for Earth: American Writers Respond to the Earth Charter* (Atenas e Londres: University de Georgia Press, 2008).

53. Ron Engel, "Prologue: Summons to a new axial age – the Promise, Limits and Future of the Earth Charter", Laura Westra e Mirian Vilela, orgs., *The Earth Charter, Ecological Integrity and Social Movements* (Londres: Earthscan Routledge, 2014), pp. xv-xxx.

54. O Princípio 1 é o imperativo: "Respeitar a Terra e a vida em toda sua diversidade". A vida moral começa com o despertar de uma atitude de respeito para com o outro. O verbo "respeitar", no Princípio 1, é usado para indicar que toda a vida é digna de consideração moral. Os subprincípios 1.a e 1.b foram elaborados em paralelo e esclarecem por que o respeito e a consideração moral abrangem formas de vida não humanas e todas as pessoas. De acordo com a Carta Mundial da Natureza (1982),

o Princípio 1.a explica que cada forma de vida "tem valor, independentemente de sua utilidade para os seres humanos". O Princípio afirma o que alguns filósofos descrevem como o valor intrínseco de todas as formas de vida. A Lei Internacional dos Direitos Humanos usa o conceito de dignidade humana para afirmar o valor intrínseco de cada pessoa, que envolve a ideia de que todo indivíduo deve ser tratado como um fim e nunca apenas como um meio. A Carta da Terra como um todo deixa claro que todos os seres humanos são dignos de igual consideração moral, sem discriminação.

55. Os títulos dos dois últimos relatórios do Secretário-Geral das Nações Unidas sobre a Agenda pós-2015 são *Uma Vida Digna para Todos* (2013) e *O Caminho para a Dignidade até 2030* (2014). Esses títulos identificam o ideal moral da "dignidade para todos" com respeito ao princípio da igualdade e dos direitos humanos universais. Ao descrever a nova Agenda Pós-2015, o relatório de 2014 cita "a dignidade humana e a sustentabilidade planetária", como os grandes temas dos 17 novos Objetivos de Desenvolvimento Sustentável (ODS). O primeiro dos "seis elementos essenciais para cumprir os ODS" é identificado como "Dignidade: Para acabar com a pobreza e combater as desigualdades" A esse respeito, o relatório afirma: "O desafio que define a nossa época é suprir a lacuna entre a nossa determinação para garantir uma vida digna para todos, por um lado, e a realidade de pobreza persistente e a desigualdade crescente, por outro". A referência à "dignidade inerente de todos os seres humanos" no Princípio

1.b da Carta da Terra deve ser entendida com essa mesma amplitude de significado. Ver Relatório de Síntese do Secretário-Geral sobre a Agenda Pós-2015, *O Caminho para a Dignidade até 2030: Erradicar a Pobreza, Transformar Vidas e Proteger o Planeta* (Nova York: Nações Unidas, 2014), seção 2.2, parágrafo 36; seção 3, parágrafo 58; seção 3.3, parágrafos 66-67; seção 6, parágrafo 161.

56. *Nosso Futuro Comum* (Oxford: Oxford University Press, 1987), p. 43.

57. Ver, por exemplo, Edward Wolff, *Top Heavy: A Study of the Increasing Inequality of Wealth in America* (1995).

58. *O Caminho para a Dignidade até 2030*, seção 3.1, parágrafo 60; seção 3.3, parágrafo 67.

59. Worldwatch Institute, *Estado do Mundo 2013: A Sustentabilidade Ainda É Possível?* (Washington, DC: Island Press, 2013), pp. 19-22.

60. *Ibid.*, pp. 9, 41.

61. *Ibid.*, pp. 11, 22-26; Johan Rockström, "Bounding the Planetary Future: Why We Need a Great Transition", artigo do fórum virtual Great Transition Initiative (abril de 2015). Rockström liderou o recente desenvolvimento do novo quadro dos Limites Planetários.

62. *Small Is Beautiful* (Nova York: Harper Torch Books, 1973), p. 54.

63. Rockström, "Bounding the Planetary Future".

64. Para obter uma explicação da Teoria da Contração e Convergência, ver Brendan Mackey e Nicole Rogers, "Climate

Justice and the Distribution of Rights to Emit Carbon", P. Keyzer, V. Popovski e C. Sampford, orgs., *Access to International Justice* (Londres: Routledge, 2015).

65. Ver, por exemplo, Lester R. Brown, *Plan B: Rescuing a Planet Under Stress and a Civilization in Trouble* (Nova York: WW Norton & Company, 2003); Peter G. Brown e Geoffrey Garver, *Right Relationship; Building a Whole Earth Economy* (San Francisco: Berrett-Koehler Publishers, Inc., 2009); e Herman Daly, "Economics For a Full World", Great Transition Initiative (junho de 2015).

66. Ver Ernst Ulrich von Weizsäcker *et al.*, *Factor Five: Transforming the Global Economy Through 80% Improvements in Resource Productivity* (Londres: Earthscan Ltd., 2011).

67. *Estado do Mundo 2013*, capítulos 2, 3, 4, 10, 11.

68. *O Caminho para a Dignidade até 2030*, seção 2.1, parágrafos 48-49.

69. *Ibid.*, seção 1, parágrafo 24; seção 2.1; parágrafo 49; seção 3.3, parágrafo 75.

70. *A Sand County Almanac* (Nova York: Oxford University Press, 1949) pp. 203, 204.

71. Ver, por exemplo, Cormac Cullinan, *Wild Law, A Manifesto for Earth Justice* (White River Junction, Vermont: Chelsea Green Publishing, 2011).

77. Para uma análise elucidativa dos desafios ambientais, econômicos e políticos enfrentados pelo mundo, com especial referência aos Estados Unidos, ver James Gustave Speth, *The Bridge at the Edge of the World: Capitalism, the*

Environment, and Crossing from Crisis to Sustainability (New Haven: Yale University Press, 2008) e *America the Possible: Manifesto for a New Economy* (New Haven: Yale University Press, 2012).

73. Para obter informações sobre os muitos desenvolvimentos promissores no campo da religião e da ecologia, ver o fórum virtual da Yale University sobre Religião e Ecologia. A indicação significativa do crescente apoio entre os líderes religiosos para uma transição a um futuro justo e sustentável em consonância com o espírito da Carta da Terra é uma declaração recente, emitida por uma conferência convocada pela Pontifícia Academia das Ciências, com o apoio do Papa Francisco. A Declaração afirma:

    As alterações climáticas induzidas pelo ser humano são uma realidade científica, e detê-las é um imperativo moral e religioso para a humanidade.

    Nesse espaço moral nuclear, as religiões do mundo desempenham um papel muito importante. Essas tradições afirmam, todas elas, a dignidade inerente de cada indivíduo ligada ao bem comum de toda a humanidade. Afirmam a beleza, a maravilha e a bondade inerente do mundo natural, e reconhecem que se trata de um dom precioso confiado aos nossos cuidados comunitários, tornando-se nosso dever moral respeitar em vez de devastar o jardim que é a nossa casa.

    Declaração de Líderes religiosos, líderes políticos, líderes empresariais, cientistas e profissionais de desenvolvimento, 28 de abril de 2015, Pontifícia Academia das Ciências.

74. *Laudato Si': Sobre o Cuidado da Nossa Casa Comum* (Washington, DC: Conferência dos Bispos Católicos dos Estados Unidos, 2015), parágrafo 10. A Encíclica do Papa começa com as palavras do "Cântico das Criaturas", de São Francisco de Assis.

    "Laudato Si', mi' Signore" – "Louvado sejas, meu Senhor." Neste gracioso cântico, São Francisco de Assis recordava-nos que nossa casa comum se pode comparar ora a uma irmã, com quem partilhamos a existência, ora a uma boa mãe, que nos acolhe nos seus braços: "Louvado sejas, meu Senhor, pela nossa irmã, a Mãe Terra, que nos sustenta e governa...".

75. *Ibid.*, parágrafo 207. Em um capítulo sobre "Educação Ecológica e Espiritualidade", o Papa Francisco cita a primeira e a última frase da seção final da Carta da Terra, "O Caminho Adiante".

76. *Ibid.*, parágrafo 3

77. Declaração de Líderes religiosos, líderes políticos, líderes empresariais, cientistas e profissionais do Desenvolvimento, 28 de abril de 2015, Pontifícia Academia das Ciências.

78. *Laudato Si'*, parágrafos 118-119.

79. *Ibid.*, parágrafo 6.

80. *Ibid.*, parágrafos 101-122.

81. *Ibid.*, parágrafo 63.

82. *Ibid.*, parágrafo 11.

83. *Ibid.*, parágrafos 114, 210.

84. *Ibid.*, parágrafos 92, 210.

85. Declaração das Nações Unidas "Transformando Nosso Mundo: a Agenda 2030 para o Desenvolvimento Sustentável", parágrafos 3, 51.

86. *Ibid.*, parágrafo 59.

87. *Ibid.*, parágrafo 9.

88. *Ibid.*, parágrafo 36.

Bibliografia Selecionada

Atkinson, Anthony B. *Inequality: What Can Be Done?* Cambridge: Harvard University Press, 2015.

Berry, Thomas. *The Great Work: Our Way into the Future.* Nova York: Bell Tower, 1999.

Boff, Leonardo. *Ecology and Liberation: A New Paradigm.* Trad. John Cumming. Nova York: Orbis Books, 1995.

______. *Cry of the Earth, Cry of the Poor.* Maryknoll: Orbis Books, 1997.

Brown, Lester R. *Plan B: Rescuing a Planet Under Stress and a Civilization in Trouble.* Nova York: W. W. Norton & Company, 2003.

______. *The Great Transition: Shifting from Fossil Fuels to Solar and Wind Energy.* Nova York: W. W. Norton & Company, 2015.

Brown, Peter G. e Geoffrey Garver. *Right Relationship: Building a Whole Earth Economy.* San Francisco: Berrett-Koehler Publishers, Inc., 2009.

Comissão Mundial sobre Meio Ambiente e Desenvolvimento. *Nosso Futuro Comum*. Oxford: Oxford University Press, 1987.

Comissão Oxford Martin para Futuras Gerações. *Now for the Long Term*. Oxford: Oxford Martin School, 2013.

Cullinan, Cormac. *Wild Law: A Manifesto for Earth Justice*. White River Junction, Vermont: Chelsea Green Publishing, 2011.

Cúpula das Nações Unidas sobre o Desenvolvimento Sustentável, 25-27 de setembro de 2015. "Transforming Our World: The 2030 Sustainable Development Agenda."

Daly, Herman, "Economics For a Full World." Great Transition Initiative, junho de 2015.

Galbraith, John Kenneth. *The Affluent Society*. Boston: Houghton Mifflin Co., 1958.

Gore, Al. *The Future: Six Drivers of Global Change*. Nova York: Random House, 2013.

Gottlieb, Roger S., org. *This Sacred Earth: Religion, Nature, Environment*. Nova York: Routledge, 1996.

Hathaway, Mark e Leonardo Boff. *The Tao of Liberation: Exploring the Ecology of Transformation*. Maryknoll, Nova York: Orbis Books, 2009.

Korten, David C. *The Great Turning: From Empire to Earth Community*. San Francisco: Berrett-Koehler Publishers, Inc., 2006.

______. *Change the Story, Change the Future: A Living Economy for a Living Earth*. San Francisco: Berrett-Koehler Publishers, Inc., 2015.

Küng, Hans. *Global Responsibility: In Search of a New World Ethic.* Nova York: Crossroad, 1991.

______. *A Global Ethic for Global Politics and Economics.* New York: Oxford University Press, 1998.

Lardner, James e David A. Smith, orgs. *Inequality Matters.* Nova York: Demos/New Press, 2005.

Micklethwait, John e Adrian Wooldridge. *The Fourth Revolution: The Global Race to Reinvent the State.* Nova York: Penguin Press, 2014.

McKibben, Bill. "The Pope and the Planet", resenha de "*Laudato Si': Sobre Cuidado da Casa Comum*". In: *New York Review of Books*, 13 de agosto de 2015, v. LXII, n. 13, pp. 40-42.

Moatsos, Michail *et al.* "Income Inequality Since 1820." In: Jan Luiten van Zanden *et al.*, *How Was Life?: Global Well-being Since 1820.* Paris: OECD Publishing, 2014.

Noah, Timothy. *The Great Divergence.* Nova York: Bloomsbury Press, 2012.

Pickett, Kate E. e Richard G. Wilkinson. *The Spirit Level: Why More Equal Societies Almost Always Do Better.* London: Allen Lane, 2009.

Piketty, Thomas. *Capital in the Twenty-First Century.* Trad. Arthur Goldhammer. Cambridge, Mass.: Harvard University Press, 2014.

Papa Francisco. Carta Encíclica, "*Laudato Si': Sobre Cuidado da Casa Comum*". Washington, DC: Conferência dos Bispos Católicos dos Estados Unidos, 2015.

Programa de Desenvolvimento das Nações Unidas. *Relatório do Desenvolvimento Humano 2013 – A Ascensão do Sul.* Nações Unidas, 2013.

Relatório de Síntese do Secretário-Geral das Nações Unidas sobre a Agenda Pós-2015, O *Caminho para a Dignidade até 2030: Erradicar a Pobreza, Transformar Vidas e Proteger o Planeta*. Nova York: United Nations, 2014.

Rockefeller, Steven C. e John C. Elder, orgs. *Spirit and Nature: Why the Environment Is a Religious Issue.* Boston: Beacon Press, 1992.

Rockefeller, Steven C. "Ecological and Social Responsibility: The Making of the Earth Charter." In: Barbara Darling-Smith, org., *On Responsibility.* Nova York: Lexington Books, Harper & Rowe, 2007.

______. "Crafting Principles for the Earth Charter." In: Peter Blaze Corcoran e A. James Wholpart, orgs., *A Voice for Earth: American Writers Respond to the Earth Charter.* Atenas/Londres: University of Georgia Press, 2008.

Rosanvallon, Pierre. *The Society of Equals.* Trad. Arthur Goldhammer. Cambridge, Mass.: Harvard University Press, 2013.

Schlesinger, Arthur M. Jr. *The Disuniting of America: Reflections on a Multicultural Society.* Nova York: W. W. Norton & Company Inc., 1992.

Schumacher, E. F. *Small Is Beautiful: A Study of Economics as if People Mattered.* Nova York: Harper Torch Books, 1973.

Speth, James Gustave. *The Bridge at the Edge of the World: Capitalism, the Environment, and Crossing from Crisis to Sustainability*. New Haven: Yale University Press, 2008.

_______. *America the Possible: Manifesto for a New Economy*. New Haven: Yale University Press, 2012.

Stiglitz, Joseph E. *The Great Divide: Unequal Societies and What We Can Do About Them*. Nova York: W. W. Norton & Company, Inc., 2015.

Tucker, Mary Evelyn e John Grim, eds. *Religions of the World and Ecology* (10 volumes). Cambridge: Harvard University Press for the Center for the Study of World Religions, Harvard Divinity School, 1997-2004.

Von Weizsäcker, Ernst-Ulrich *et al. Factor Five: Transforming the Global Economy Through 80% Improvements in Resource Productivity*. Londres: Earthscan Ltd., 2011.

Westra, Laura e Mirian Vilela, orgs. *The Earth Charter, Ecological Integrity and Social Movements*. Londres: Earthscan, 2014.

Worldwatch Institute. *Estado do Mundo 2013: A Sustentabilidade Ainda É Possível?* Washington DC: Island Press, 2013.

Apêndice A

A CARTA DA TERRA

PREÂMBULO

Estamos diante de um momento crítico na história da Terra, numa época em que a humanidade deve escolher o seu futuro. À medida que o mundo torna-se cada vez mais interdependente e frágil, o futuro enfrenta, ao mesmo tempo, grandes perigos e grandes promessas. Para seguir adiante, devemos reconhecer que, no meio da uma magnífica diversidade de culturas e formas de vida, somos uma família humana e uma comunidade terrestre com um destino comum. Devemos somar forças para gerar uma sociedade sustentável global baseada no respeito pela natureza, nos direitos humanos universais, na justiça econômica e numa cultura da paz. Para chegar a este propósito, é imperativo que nós, os povos da Terra, declaremos nossa responsabilidade uns para com os outros, com a grande comunidade da vida, e com as futuras gerações.

TERRA, NOSSO LAR

A humanidade é parte de um vasto universo em evolução. A Terra, nosso lar, está viva com uma comunidade de vida única. As forças da natureza fazem da existência uma aventura exigente e incerta, mas a Terra providenciou as condições essenciais para a evolução da vida. A capacidade de recuperação da comunidade da vida e o bem-estar da humanidade dependem da preservação de uma biosfera saudável com todos seus sistemas ecológicos, uma rica variedade de plantas e animais, solos férteis, águas puras e ar limpo. O meio ambiente global com seus recursos finitos é uma preocupação comum de todas as pessoas. A proteção da vitalidade, diversidade e beleza da Terra é um dever sagrado.

A SITUAÇÃO GLOBAL

Os padrões dominantes de produção e consumo estão causando devastação ambiental, redução dos recursos e uma massiva extinção de espécies. Comunidades estão sendo arruinadas. Os benefícios do desenvolvimento não estão sendo divididos equitativamente e o fosso entre ricos e pobres está aumentando. A injustiça, a pobreza, a ignorância e os conflitos violentos têm aumentado e são causa de grande sofrimento. O crescimento sem precedentes da população humana tem sobrecarregado os sistemas ecológico e social. As bases da segurança global estão ameaçadas. Essas tendências são perigosas, mas não inevitáveis.

DESAFIOS PARA O FUTURO

A escolha é nossa: formar uma aliança global para cuidar da Terra e uns dos outros, ou arriscar a nossa destruição e a da diversidade da vida. São necessárias mudanças fundamentais dos nossos valores, instituições e modos de vida. Devemos entender que, quando as necessidades básicas forem atingidas, o desenvolvimento humano será primariamente voltado a ser mais, não a ter mais. Temos o conhecimento e a tecnologia necessários para abastecer a todos e reduzir nossos impactos ao meio ambiente. O surgimento de uma sociedade civil global está criando novas oportunidades para construir um mundo democrático e humano. Nossos desafios ambientais, econômicos, políticos, sociais e espirituais estão interligados, e juntos podemos forjar soluções includentes.

RESPONSABILIDADE UNIVERSAL

Para realizar estas aspirações, devemos decidir viver com um sentido de responsabilidade universal, identificando-nos com toda a comunidade terrestre bem como com nossa comunidade local. Somos, ao mesmo tempo, cidadãos de nações diferentes e de um mundo no qual a dimensão local e a global estão ligadas. Cada um compartilha da responsabilidade pelo presente e pelo futuro, pelo bem-estar da família humana e de todo o mundo dos seres vivos. O espírito de solidariedade humana e de parentesco com toda a vida é fortalecido quando vivemos com reverência o mistério da existência, com gratidão pelo dom da vida, e com humildade considerando em relação ao lugar que ocupa o ser humano na natureza.

Necessitamos com urgência de uma visão compartilhada de valores básicos para proporcionar um fundamento ético à comunidade mundial emergente. Portanto, juntos na esperança, afirmamos os seguintes princípios, todos interdependentes, visando um modo de vida sustentável como critério comum, através dos quais a conduta de todos os indivíduos, organizações, empresas, governos e instituições transnacionais será guiada e avaliada.

PRINCÍPIOS

I. RESPEITAR E CUIDAR DA COMUNIDADE DA VIDA

1. **Respeitar a Terra e a vida em toda sua diversidade.**

    a. Reconhecer que todos os seres são interligados e cada forma de vida tem valor, independentemente de sua utilidade para os seres humanos.

    b. Afirmar a fé na dignidade inerente de todos os seres humanos e no potencial intelectual, artístico, ético e espiritual da humanidade.

2. **Cuidar da comunidade da vida com compreensão, compaixão e amor.**

    a. Aceitar que, com o direito de possuir, administrar e usar os recursos naturais vem o dever de impedir o dano causado ao meio ambiente e de proteger os direitos das pessoas.

b. Assumir que o aumento da liberdade, dos conhecimentos e do poder implica responsabilidade na promoção do bem comum.

3. Construir sociedades democráticas que sejam justas, participativas, sustentáveis e pacíficas.

a. Assegurar que as comunidades em todos níveis garantam os direitos humanos e as liberdades fundamentais e proporcionem a cada um a oportunidade de realizar seu pleno potencial.

b. Promover a justiça econômica e social, propiciando a todos a consecução de uma subsistência significativa e segura, que seja ecologicamente responsável.

4. Garantir as dádivas e a beleza da Terra para as atuais e as futuras gerações.

a. Reconhecer que a liberdade de ação de cada geração é condicionada pelas necessidades das gerações futuras.

b. Transmitir às futuras gerações valores, tradições e instituições que apoiem, em longo prazo, a prosperidade das comunidades humanas e ecológicas da Terra. Para poder cumprir estes quatro amplos compromissos, é necessário:

II. INTEGRIDADE ECOLÓGICA

5. Proteger e restaurar a integridade dos sistemas ecológicos da Terra, com especial preocupação pela diversidade biológica e pelos processos naturais que sustentam a vida.

a. Adotar planos e regulamentações de desenvolvimento sustentável em todos os níveis que façam com que a conservação ambiental e a reabilitação sejam parte integral de todas as iniciativas de desenvolvimento.

b. Estabelecer e proteger as reservas com uma natureza viável e da biosfera, incluindo terras selvagens e áreas marinhas, para proteger os sistemas de sustento à vida da Terra, manter a biodiversidade e preservar nossa herança natural.

c. Promover a recuperação de espécies e ecossistemas ameaçados.

d. Controlar e erradicar organismos não nativos ou modificados geneticamente que causem dano às espécies nativas, ao meio ambiente, e prevenir a introdução desses organismos daninhos.

e. Manejar o uso de recursos renováveis como água, solo, produtos florestais e vida marinha de forma que não excedam as taxas de regeneração e que protejam a sanidade dos ecossistemas.

f. Manejar a extração e o uso de recursos não renováveis, como minerais e combustíveis fósseis de forma que diminuam a exaustão e não causem dano ambiental grave.

6. Prevenir o dano ao ambiente como o melhor método de proteção ambiental e, quando o conhecimento for limitado, assumir uma postura de precaução.

a. Orientar ações para evitar a possibilidade de sérios ou irreversíveis danos ambientais mesmo quando a informação científica for incompleta ou não conclusiva.

b. Impor o ônus da prova àqueles que afirmarem que a atividade proposta não causará dano significativo e fazer com que os grupos sejam responsabilizados pelo dano ambiental.

c. Garantir que a decisão a ser tomada se oriente pelas consequências humanas globais, cumulativas, de longo prazo, indiretas e de longo alcance.

d. Impedir a poluição de qualquer parte do meio ambiente e não permitir o aumento de substâncias radioativas, tóxicas ou outras substâncias perigosas.

e. Evitar que atividades militares causem dano ao meio ambiente.

7. **Adotar padrões de produção, consumo e reprodução que protejam as capacidades regenerativas da Terra, os direitos humanos e o bem-estar comunitário.**

   a. Reduzir, reutilizar e reciclar materiais usados nos sistemas de produção e consumo e garantir que os resíduos possam ser assimilados pelos sistemas ecológicos.

   b. Atuar com restrição e eficiência no uso de energia e recorrer cada vez mais aos recursos energéticos renováveis, como a energia solar e do vento.

   c. Promover o desenvolvimento, a adoção e a transferência equitativa de tecnologias ambientais saudáveis.

   d. Incluir totalmente os custos ambientais e sociais de bens e serviços no preço de venda e habilitar os consumidores a identificar produtos que satisfaçam as mais altas normas sociais e ambientais.

   e. Garantir acesso universal à assistência de saúde que fomente a saúde reprodutiva e a reprodução responsável.

   f. Adotar estilos de vida que acentuem a qualidade de vida e subsistência material num mundo finito.

8. **Avançar o estudo da sustentabilidade ecológica e promover a troca aberta e a ampla aplicação do conhecimento adquirido.**

a. Apoiar a cooperação científica e técnica internacional relacionada à sustentabilidade, com especial atenção às necessidades das nações em desenvolvimento.

b. Reconhecer e preservar os conhecimentos tradicionais e a sabedoria espiritual em todas as culturas que contribuam para a proteção ambiental e o bem-estar humano.

c. Garantir que informações de vital importância para a saúde humana e para a proteção ambiental, incluindo informação genética, estejam disponíveis ao domínio público.

III. JUSTIÇA SOCIAL E ECONÔMICA

9. Erradicar a pobreza como um imperativo ético, social e ambiental.

a. Garantir o direito à água potável, ao ar puro, à segurança alimentar, aos solos não contaminados, ao abrigo e saneamento seguro, distribuindo os recursos nacionais e internacionais requeridos.

b. Prover cada ser humano de educação e recursos para assegurar uma subsistência sustentável, e proporcionar seguro social e segurança coletiva a todos aqueles que não são capazes de manter-se por conta própria.

c. Reconhecer os ignorados, proteger os vulneráveis, servir àqueles que sofrem, e permitir-lhes desenvolver suas capacidades e alcançar suas aspirações.

10. Garantir que as atividades e instituições econômicas em todos os níveis promovam o desenvolvimento humano de forma equitativa e sustentável.

a. Promover a distribuição equitativa da riqueza dentro das e entre as nações.

b. Incrementar os recursos intelectuais, financeiros, técnicos e sociais das nações em desenvolvimento e isentá-las de dívidas internacionais onerosas.

c. Garantir que todas as transações comerciais apoiem o uso de recursos sustentáveis, a proteção ambiental e normas trabalhistas progressistas.

d. Exigir que corporações multinacionais e organizações financeiras internacionais atuem com transparência em benefício do bem comum e responsabilizá-las pelas consequências de suas atividades.

11. Afirmar a igualdade e a equidade de gênero como pré-requisito para o desenvolvimento sustentável e assegurar o acesso universal à educação, assistência de saúde e às oportunidades econômicas.

a. Assegurar os direitos humanos das mulheres e das meninas e acabar com toda violência contra elas.

b. Promover a participação ativa das mulheres em todos os aspectos da vida econômica, política, civil, social e cultural como parceiras plenas e paritárias, tomadoras de decisão, líderes e beneficiárias.

c. Fortalecer as famílias e garantir a segurança e a educação amorosa de todos os membros da família.

12. Defender, sem discriminação, os direitos de todas as pessoas a um ambiente natural e social, capaz de assegurar a dignidade humana, a saúde corporal e o bem-estar espiritual, concedendo especial atenção aos direitos dos povos indígenas e minorias.

a. Eliminar a discriminação em todas suas formas, como as baseadas em raça, cor, gênero, orientação sexual, religião, idioma e origem nacional, étnica ou social.

b. Afirmar o direito dos povos indígenas à sua espiritualidade, conhecimentos, terras e recursos, assim como às suas práticas relacionadas a formas sustentáveis de vida.

c. Honrar e apoiar os jovens das nossas comunidades, habilitando-os a cumprir seu papel essencial na criação de sociedades sustentáveis.

d. Proteger e restaurar lugares notáveis pelo significado cultural e espiritual.

IV. DEMOCRACIA, NÃO VIOLÊNCIA E PAZ

13. **Fortalecer as instituições democráticas em todos os níveis e proporcionar-lhes transparência e prestação de contas no exercício do governo, participação inclusiva na tomada de decisões, e acesso à justiça.**

    a. Defender o direito de todas as pessoas no sentido de receber informação clara e oportuna sobre assuntos ambientais e todos os planos de desenvolvimento e atividades que poderiam afetá-las ou nos quais tenham interesse.

    b. Apoiar sociedades civis locais, regionais e globais e promover a participação significativa de todos os indivíduos e organizações na tomada de decisões.

    c. Proteger os direitos à liberdade de opinião, de expressão, de assembleia pacífica, de associação e de oposição.

    d. Instituir o acesso efetivo e eficiente a procedimentos administrativos e judiciais independentes, incluindo retificação e compensação por danos ambientais e pela ameaça de tais danos.

    e. Eliminar a corrupção em todas as instituições públicas e privadas.

    f. Fortalecer as comunidades locais, habilitando-as a cuidar dos seus próprios ambientes, e atribuir responsabilidades ambientais aos níveis governamentais onde possam ser cumpridas mais efetivamente.

14. Integrar, na educação formal e na aprendizagem ao longo da vida, os conhecimentos, valores e habilidades necessários para um modo de vida sustentável.

a. Oferecer a todos, especialmente a crianças e jovens, oportunidades educativas que lhes permitam contribuir ativamente para o desenvolvimento sustentável.

b. Promover a contribuição das artes e humanidades, assim como das ciências, na educação para sustentabilidade.

c. Intensificar o papel dos meios de comunicação de massa no sentido de aumentar a sensibilização para os desafios ecológicos e sociais.

d. Reconhecer a importância da educação moral e espiritual para uma subsistência sustentável.

15. Tratar todos os seres vivos com respeito e consideração.

a. Impedir crueldades aos animais mantidos em sociedades humanas e protegê-los de sofrimentos.

b. Proteger animais selvagens de métodos de caça, armadilhas e pesca que causem sofrimento extremo, prolongado ou evitável.

c. Evitar ou eliminar ao máximo possível a captura ou destruição de espécies não visadas.

16. **Promover uma cultura de tolerância, não violência e paz.**

    a. Estimular e apoiar o entendimento mútuo, a solidariedade e a cooperação entre todas as pessoas, dentro das e entre as nações.

    b. Implementar estratégias amplas para prevenir conflitos violentos e usar a colaboração na resolução de problemas para manejar e resolver conflitos ambientais e outras disputas.

    c. Desmilitarizar os sistemas de segurança nacional até chegar ao nível de uma postura não provocativa da defesa e converter os recursos militares em propósitos pacíficos, incluindo restauração ecológica.

    d. Eliminar armas nucleares, biológicas e tóxicas e outras armas de destruição em massa.

    e. Assegurar que o uso do espaço orbital e cósmico mantenha a proteção ambiental e a paz.

    f. Reconhecer que a paz é a plenitude criada por relações corretas consigo mesmo, com outras pessoas, outras culturas, outras vidas, com a Terra e com a totalidade maior da qual somos parte.

O CAMINHO ADIANTE

Como nunca antes na história, o destino comum nos conclama a buscar um novo começo. Tal renovação é a promessa dos princípios da Carta da Terra. Para cumprir esta promessa, temos que nos comprometer a adotar e promover os valores e objetivos da Carta.

Isto requer uma mudança na mente e no coração. Requer um novo sentido de interdependência global e de responsabilidade universal. Devemos desenvolver e aplicar com imaginação a visão de um modo de vida sustentável aos níveis local, nacional, regional e global. Nossa diversidade cultural é uma herança preciosa, e diferentes culturas encontrarão suas próprias e distintas formas de realizar esta visão. Devemos aprofundar e expandir o diálogo global gerado pela Carta da Terra, porque temos muito que aprender a partir da busca iminente e conjunta por verdade e sabedoria.

A vida muitas vezes envolve tensões entre valores importantes. Isto pode significar escolhas difíceis. Porém, necessitamos encontrar caminhos para harmonizar a diversidade com a unidade, o exercício da liberdade com o bem comum, objetivos de curto prazo com metas de longo prazo. Todo indivíduo, família, organização e comunidade têm um papel vital a desempenhar. As artes, as ciências, as religiões, as instituições educativas, os meios de comunicação, as empresas, as organizações não governamentais e os governos são todos chamados a oferecer uma liderança criativa. A parceria entre governo, sociedade civil e empresas é essencial para uma governabilidade efetiva.

Para construir uma comunidade global sustentável, as nações do mundo devem renovar seu compromisso com as Nações Unidas, cumprir com suas obrigações respeitando os acordos internacionais existentes e apoiar a implementação dos princípios da Carta da Terra com um instrumento internacional legalmente unificador quanto ao ambiente e ao desenvolvimento.

Que o nosso tempo seja lembrado pelo despertar de uma nova reverência face à vida, pelo compromisso firme de alcançar a sustentabilidade, a intensificação da luta pela justiça e pela paz, e a alegre celebração da vida.

Apêndice B

Objetivo de Desenvolvimento Sustentável das **Nações Unidas**

(Como apresentados em *O Caminho para a Dignidade até 2013*, Relatório de Síntese do Secretário-Geral das Nações Unidas sobre a Agenda Pós-2015 para o Desenvolvimento Sustentável)

Objetivo 1 Acabar com a pobreza em todas as suas formas, em todos os lugares

Objetivo 2 Acabar com a fome, alcançar a segurança alimentar e melhoria da nutrição e promover a agricultura sustentável

Objetivo 3 Assegurar uma vida sustentável e promover o bem-estar para todos, em todas as idades

Objetivo 4 Assegurar a educação inclusiva e equitativa e de qualidade, e promover oportunidades de aprendizagem ao longo da vida para todos

Objetivo 5 Alcançar a igualdade de gênero e empoderar todas as mulheres e meninas

Objetivo 6 Assegurar a disponibilidade e gestão sustentável da água e saneamento para todos

Objetivo 7 Assegurar o acesso confiável, sustentável, moderno e a preço acessível à energia para todos

Objetivo 8 Promover o crescimento econômico sustentado, inclusivo e sustentável, emprego pleno e produtivo e trabalho decente para todos

Objetivo 9 Construir infraestruturas resilientes, promover a industrialização inclusiva e sustentável e fomentar a inovação

Objetivo 10 Reduzir a desigualdade dentro dos países e entre eles

Objetivo 11 Tornar as cidades e os assentamentos humanos inclusivos, seguros, resilientes e sustentáveis

Objetivo 12 Assegurar padrões de produção e de consumo sustentáveis

Objetivo 13 Tomar medidas urgentes para combater a mudança climática e seus impactos*

Objetivo 14 Conservação e uso sustentável dos oceanos, dos mares e dos recursos marinhos para o desenvolvimento sustentável

Objetivo 15 Proteger, recuperar e promover o uso sustentável dos ecossistemas terrestres, gerir de forma sustentável as florestas, combater a desertificação, deter e reverter a degradação da terra e deter a perda de diversidade

Objetivo 16 Promover sociedades pacíficas e inclusivas para o desenvolvimento sustentável, proporcionar o acesso à justiça para todos e construir instituições eficazes, responsáveis e inclusivas em todos os níveis

Objetivo 17 Fortalecer os meios de implementação e revitalizar a parceria global para o desenvolvimento sustentável

(4 de dezembro de 2014, Centro de Notícias da ONU, traduzido e editado por UNRIC)

* Reconhecendo que a Convenção Quadro das Nações Unidas sobre Mudança do Clima [UNFCCC] é o fórum internacional intergovernamental primário para negociar a resposta global à mudança do clima.